La rose des neiges

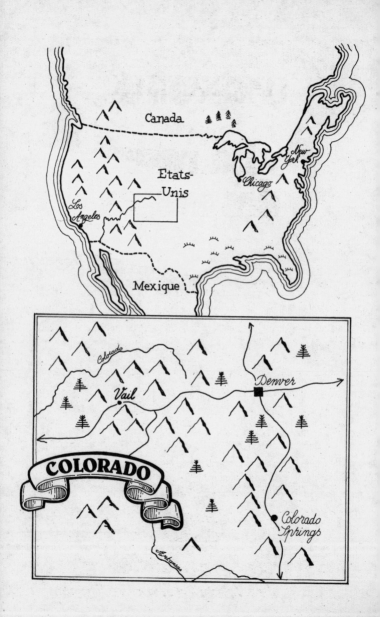

DONNA VITEK

La rose des neiges

Le temps d'un livre
Le temps d'un rêve

Titre original : *A Different Dream* (33)
© 1980, Donna Vitek
Originally published by SILHOUETTE BOOKS
a Simon & Schuster division of Gulf
& Western Corporation, New York

Traduction française de : Marie Robert
© 1982, Éditions J'ai Lu
31, rue de Tournon, 75006 Paris

1

– C'est la première fois que vous montez à Vail? demanda le jeune homme en se rapprochant jusqu'à lui frôler la main.

Eve hocha la tête et se serra contre la vitre.

C'était une malchance que sa voiture ait justement choisi cette semaine pour tomber en panne. Sinon, elle ne serait pas coincée dans ce bus avec tous ces fanatiques du ski. Et non seulement elle serait sans doute arrivée depuis longtemps, mais son voyage solitaire lui aurait permis de dominer les émotions qui l'agitaient.

– Moi, je ne suis encore jamais venu, poursuivit le jeune homme, sans remarquer qu'elle n'avait pas du tout envie de parler. Je ne vis à Denver que depuis deux semaines. Avant, j'habitais New York et j'allais faire du ski à Hunter. Et vous? Vous skiez souvent?

– Plus maintenant, répondit-elle tristement en se mordant la lèvre. En fait, plus depuis quatre ans.

– Vraiment! s'exclama-t-il en la regardant comme s'il se trouvait brusquement face à un Martien. A votre place, je deviendrais fou!

Tant d'exagération la fit sourire. Comme il était jeune! Pourtant il devait bien avoir vingt-cinq ans, enfin en tout cas deux ou trois ans de plus qu'elle. Cet amour du ski lui rappelait la jeune fille de dix-huit ans qu'elle avait été avant que son accident ne bouleverse sa vie. Elle avait presque réussi à l'oublier mais maintenant, dans le décor si familier de Vail, tout lui revenait douloureusement en mémoire.

Elle ne s'attendait certainement pas à commencer ses vacances dans des circonstances aussi déroutantes. Elle avait travaillé pendant des mois pour accumuler quatre semaines de congé consécutives.

Mais son intention n'était certainement pas de commencer par un retour dans le passé. Elle avait prévu de rester tranquillement chez elle et puis d'aller quelques jours voir sa jeune sœur Marilyn à San Francisco. Elles seraient sorties toutes les deux, au concert, au ballet... Malheureusement les folies de sa cadette avaient tout bouleversé. Et maintenant elle était en route pour le dernier endroit du monde où elle avait envie d'aller.

— J'imagine que vous devez être joliment impatiente de vous retrouver sur les pistes, après tant de temps, reprit le jeune homme. Vous allez rester dehors jour et nuit pour rattraper le temps perdu.

— Je suis seulement venue voir ma sœur, répondit Eve avec une certaine raideur, dans l'espoir qu'il la laisserait tranquille. Je n'ai pas l'intention de remonter sur les pistes.

— Non? Et pourquoi ça? Il me semble...

— Je ne peux plus skier, voilà pourquoi! lança-t-elle à bout de patience. J'ai fait une mauvaise chute et je me suis abîmé le genou. Est-ce une explication suffisante?

Le jeune homme rougit jusqu'à la racine des cheveux.

— Oh! Je suis désolé, marmonna-t-il, très gêné. Je ne voulais pas être indiscret...

— Excusez-moi, dit-elle, regrettant sa brutalité. Vous n'y êtes pour rien. Je suis un peu énervée, c'est la première fois que je reviens ici depuis... depuis ma chute.

Soulagé mais encore hésitant, le jeune homme lui adressa un sourire de sympathie.

– Je m'appelle Gene Duncan.

– Et moi, Eve Martin.

– Je suppose que vous vivez à Denver vous aussi? Et qu'est-ce que vous faites?

– Je suis secrétaire dans un important cabinet juridique.

– Ah! Ce doit être intéressant...

– Quelquefois. Mais la plupart du temps c'est très ennuyeux.

– Alors pourquoi le faites-vous? Pourquoi ne cherchez-vous pas une autre place?

– Pour moi, tous les emplois se valent, répondit-elle tristement. Avant mon accident je voulais devenir danseuse, mais puisque c'est impossible, peu m'importe le reste. Il suffit que cela me permette de vivre.

– C'est un accident grave, alors? demanda Gene, pas très diplomate. Comment est-ce arrivé?

Eve croisa les mains pour les empêcher de trembler.

– Dans un slalom, pendant que je négociais un tournant... Mon genou a cédé et j'ai quitté la piste. Je suis tombée, ma jambe s'est tordue... Je ne sais pas très bien comment. Tout s'est fait très vite...

Elle soupira et s'enfonça les ongles dans la paume. Rien que d'y penser, elle avait l'impression d'avoir de nouveau mal dans le genou.

– D'ailleurs j'aurais dû m'y attendre. La veille, je m'étais déjà froissé un muscle.

– Vous voulez dire que vous avez fait cette course avec un genou en mauvais état? s'exclama Gene. Mais pourquoi diable avez-vous fait une chose aussi stupide?

– Les champions ne se dérobent pas, blessés ou non, répliqua-t-elle avec ironie. C'est ce qu'on dit, en tout cas.

– Mais vous vouliez devenir danseuse! Vous

n'aviez quand même pas l'intention de gagner aussi la coupe du monde?

– C'est trop compliqué à expliquer, murmura-t-elle. Si nous changions de sujet?

– Entendu, s'empressa-t-il de dire en souriant amicalement. Que faites-vous ce soir? Nous pourrions peut-être dîner ensemble?

– Je crains que non. Je suis venue pour essayer de résoudre un problème familial, et, cette affaire réglée, je rentre à Denver.

Fatiguée de lui raconter sa vie, elle chercha à détourner son attention.

– Regardez! s'écria-t-elle. Vous voyez ce sentier, là, au milieu des arbres? Depuis mon enfance il me sert de repère : nous ne sommes plus qu'à cinq minutes de Vail, maintenant.

Sa manœuvre porta ses fruits : Gene cessa de poser des questions et se mit à parler avec enthousiasme du paysage. Eve ferma les yeux et le laissa à sa contemplation. Elle connaissait tout ça trop bien et, sans les enfantillages de Marilyn, elle ne serait pas revenue ici de sitôt. Mais puisqu'elle y avait été obligée, elle tâcherait d'oublier où elle était pour s'employer uniquement à ramener sa sœur à la raison. Ce serait déjà assez difficile; Marilyn ressemblait à ce qu'elle-même était à dix-sept ans : entêtée, trop confiante et convaincue qu'elle ne connaîtrait jamais l'échec. Il fallait lui faire comprendre ce qu'elle risquait en quittant une école de danse aussi prestigieuse que celle de San Francisco pour venir gâcher son talent sur des skis.

– Regardez-moi ça! s'écria Gene avec enthousiasme, lorsque le car s'arrêta au pied des montagnes qui dominaient le village de Vail avec ses maisons en forme de chalets. Je voudrais être déjà là-haut!

– Dans ce cas commencez par descendre du bus! dit-elle ironiquement.

Il n'y avait plus qu'eux maintenant dans le car.

8

Eve attrapa son fourre-tout bleu marine et Gene se leva pour la laisser passer avec un grand geste de courtoisie théâtral.

Dehors, sous le joli soleil de décembre, il lui tendit la main :

– Je reste ici une semaine. Nous pourrions peut-être nous revoir?

– Je suis navrée, mais je dois rentrer à Denver le plus tôt possible.

– Dites-moi au moins où vous habitez! Peut-être changerez-vous d'avis et accepterez-vous de dîner avec moi... Je peux vous appeler, non?

– Si vous voulez, dit-elle, pressée de s'en aller. Vous pourrez me retrouver par mon oncle qui tient le magasin de sport juste en bas de la rue. Il s'appelle Jim Martin. Il vous donnera le numéro de téléphone de la maison.

Elle jeta un coup d'œil à sa montre : presque 2 heures... Si elle voulait avoir une conversation avec son oncle avant que Marilyn ne sorte de l'école, elle devait se dépêcher.

– Il faut vraiment que je m'en aille, dit-elle. J'ai été ravie de vous rencontrer.

– Moi aussi, cria-t-il tandis qu'elle se sauvait. Je vous appellerai sûrement.

« Il ne le fera pas », pensa-t-elle en descendant la rue enneigée et en dégourdissant son genou ankylosé par la station assise. Dès ce soir il se serait fait de nouvelles amies à l'hôtel et l'aurait oubliée. Du moins, elle l'espérait. Il méritait de rencontrer quelqu'un qui partage son enthousiasme pour le ski et avec qui, au besoin, il puisse nouer une petite aventure sentimentale. Ce qui n'était pas son cas, tant s'en faut!

« C'est la vie! » soupira-t-elle. Elle croisa deux jeunes gens bronzés et répondit par un sourire machinal à leur regard admiratif. Elle s'arrêta un instant pour contempler une vitrine de bijoutier puis, arrivée enfin devant la boutique de son oncle, elle ôta son bonnet et libéra ses longs cheveux blonds.

Elle fit tinter joyeusement la cloche de la porte d'entrée. Apparemment, rien n'avait changé, son oncle vendait toujours de ces équipements de ski très chers et très luxueux qui plaisaient tant à la clientèle. Sa tante la trouva en contemplation devant une pile de casquettes. En la voyant, elle s'arrêta net.

– Eve! ma chérie! Je n'en crois pas mes yeux! s'écria-t-elle en se précipitant pour l'embrasser tendrement. Tu as maigri, non? ajouta-t-elle en reculant un peu pour la regarder.

– D'un kilo, peut-être.

– Mais tu es toujours aussi belle! Comme je suis contente de te voir ici! Tu vas rester un peu, n'est-ce pas?

– Juste le temps de mettre un grain de bon sens dans la tête de Marilyn, répondit Eve sans remarquer le froncement de sourcils de sa tante. Je suppose que toi et oncle Jim, vous avez déjà essayé de lui expliquer à quel point elle se trompait?

– Ce n'est pas aussi simple que ça, ma chérie, dit Miriam, évasive, tout en remettant de l'ordre dans une pile de gants. Marilyn a dix-sept ans, tu sais. Ce n'est pas à nous à lui dire comment elle doit mener sa vie. Tes parents eux-mêmes hésitent à faire pression sur elle.

– Oui, je sais. Mais il faut bien que quelqu'un s'en charge et je suis là pour ça, répliqua Eve avec un peu d'agacement. Je serais même venue plus tôt si on avait pris la peine de me dire qu'elle avait quitté l'école. Mais je ne l'ai appris qu'hier, en essayant de lui téléphoner à San Francisco.

Sa tante fit un geste d'impuissance.

– Tes parents n'ont sans doute pas voulu t'inquiéter. Ils savaient bien que tu le prendrais très mal.

Mécontente, Eve soupira.

– En effet, c'est ce qu'ils m'ont dit. D'après eux, il

est inutile d'insister, étant donné qu'elle sait très bien ce qu'elle fait. Mais c'est absurde! Si elle savait ce qu'elle risque, elle ne se serait pas engagée dans cette aventure. De toute évidence, elle a besoin que je lui rappelle comment j'ai gâché ma vie en faisant exactement la même chose qu'elle, il y a quatre ans.

Miriam eut pour Eve un regard plein de compassion.

— Je comprends ce que tu dois ressentir, ma chérie. Mais ce n'est pas parce que tu as eu de la malchance et que tu ne peux plus danser que cela doit nécessairement arriver à Marilyn.

— Mais pourquoi prendre ce risque? s'exclama Eve, très choquée par l'attitude de sa tante. Pourquoi compromettre son avenir pour quelque chose qui n'en vaut pas la peine?

— Mais le ski compte beaucoup pour elle, affirma doucement Miriam. Nous ne la voyons presque pas. Elle passe sa vie sur les pistes à préparer le slalom féminin et tu n'imagines pas comme elle est rapide.

— Rapide par rapport à qui? J'espère que vous ne vous contentez pas de la comparer à ces skieurs amateurs qu'elle a dû battre une ou deux fois! Pour réussir, elle doit se mesurer avec les meilleurs.

— Oh! Elle commence seulement, mais il est évident qu'elle a des possibilités.

— Des possibilités! Voilà un mot qui me rappelle quelque chose. J'imagine que c'est ce fameux entraîneur dont papa m'a parlé qui lui raconte tous ces boniments?

— Non, c'est faux. Bret est très lucide. Je l'ai entendu plusieurs fois lui expliquer que développer ses dons exigerait beaucoup de temps et d'efforts.

— Et que, naturellement, sans ses conseils avisés, elle n'avait aucune chance.

— Bret n'est pas comme Hank, si c'est ce que tu insinues, affirma Miriam. Il est même très différent.

11

Il ne s'occuperait pas de Marilyn pour y gagner simplement un peu de prestige.

Eve allait répondre quand sa tante lui fit signe de se taire : deux jeunes femmes s'intéressaient aux vestes fourrées.

– Ecoute, pourquoi ne vas-tu pas dans l'arrière-boutique prendre un café pendant que je m'occupe des clients ? Je te rejoins tout de suite. D'ailleurs Jim ne va sans doute pas tarder à rentrer de la banque. J'imagine très bien ce que tu ressens, ma chérie, ajouta-t-elle en l'embrassant. J'espère que tu n'en doutes pas.

– Bien sûr, répondit Eve, un sourire illuminant soudain ses yeux vert jade. J'ai suffisamment repris confiance en moi pour admettre que l'on ne soit pas de mon avis.

– Parfait. Eh bien, file. Je vais voir si ces jeunes personnes ont vraiment envie d'acheter quelque chose ou si elles ne sont là que dans l'espoir de voir entrer une célébrité.

Eve gagna l'arrière-boutique où les réserves bien rangées étaient séparées par une cloison d'un confortable petit bureau. Elle se versa une tasse de café très fort et se laissa tomber sur le canapé avec un soupir de soulagement ; elle allongea sa jambe. Ce voyage en car l'avait éprouvée. Son genou ne la gênait guère d'habitude, mis à part quelques élancements de temps à autre. Mais en ce moment, une douleur continue la tenaillait et l'engourdissait jusqu'à la hanche. Avec une grimace de souffrance, elle fit quelques mouvements pour lutter contre l'ankylose.

Elle était en train de se masser, quand son oncle entra. En plus jeune, il ressemblait au père d'Eve : mêmes cheveux clairs, mêmes yeux marron et même sourire rayonnant.

– Mais je rêve ! s'écria-t-il en lui prenant les mains affectueusement. Ce n'est pas ma petite Eve que je vois, là, dans mon bureau ?

— Mais si! dit-elle en riant.

Prenant appui sur une seule jambe, elle se hissa sur la pointe des pieds pour l'embrasser.

— Je suis arrivée par le car, il y a environ une demi-heure.

Il s'écarta un peu et la contempla en souriant.

— Je n'ai jamais été aussi content de voir quelqu'un.

— Mais tu m'as vue il y a deux mois à Denver, lui rappela-t-elle en se rasseyant. Je n'ai pas pu te manquer à ce point!

— Tu sais très bien ce que je veux dire... C'est merveilleux de te voir ici, à Vail. Nous avions peur, Miriam et moi, que tu ne veuilles plus venir.

— Eh bien, à dire vrai, oncle Jim, je ne le voulais vraiment pas, dit-elle avec un petit sourire d'excuse. Si je suis là, c'est uniquement à cause de Marilyn.

— Ah! Je vois... Dans ce cas, je crains que tu ne perdes ton temps. Il n'est pas du tout certain que tu la fasses changer d'avis.

— Mais il le faut! As-tu au moins essayé de lui parler?

— J'ai essayé, en effet. Mais sans succès. Exactement comme avec toi il y a quatre ans. Il n'y a pas plus entêtées que les filles Martin.

— Et quelquefois nous le regrettons amèrement, reconnut Eve. Mais peut-être m'écoutera-t-elle, moi, après ce qui m'est arrivé?

— Ton genou te gêne toujours, n'est-ce pas? demanda-t-il en fronçant les sourcils. Je vois que tu te masses sans arrêt.

— Il est un peu engourdi, voilà tout, mentit-elle en retirant sa main. Je n'avais pas beaucoup de place dans le bus pour étendre ma jambe.

Elle ne voulait surtout pas de pitié, même de la part d'un oncle bien-aimé.

— Mais pourquoi es-tu venue en car? Je croyais que tu aimais conduire.

— C'est vrai. Mais pour ça il faudrait une voiture

convenable, fit-elle avec une grimace comique. J'espère pouvoir bientôt changer la mienne...

— Si tu veux, tu peux prendre la jeep ou la voiture de Miriam.

— Oncle Jim, demanda-t-elle brusquement, poursuivant son idée. Que sais-tu de ce Bret? Pourquoi encourage-t-il Marilyn dans ses bêtises?

— Il s'appelle Bret Chandler et il ne l'encourage pas. Il n'a fait qu'accepter de l'entraîner. Et je suis sûr qu'il ne lui bourre pas la tête de songes creux.

— Peut-être pas devant vous. Mais Dieu sait ce qu'il lui raconte quand ils sont seuls! Souviens-toi de Hank...

Jim éclata de rire.

— Je suis navré, ma chérie, murmura-t-il en essayant de retrouver son sérieux. Mais si tu crois que tu peux comparer Bret Chandler à Hank Verdell, tu te trompes. Ils sont à l'opposé l'un de l'autre.

— De quelle manière? Et d'abord, ce Bret, que fait-il? Avec qui vit-il? Et pourquoi ici?

— Doucement! Doucement! une question après l'autre, dit Jim en venant s'asseoir à côté d'elle. D'abord, Bret habite ici toute l'année et tout seul. Du côté de Deer Park.

Etonnée, Eve se tut. Il ne lui était pas venu à l'esprit que ce Bret Chandler pouvait appartenir à une famille aisée et peut-être trouver tout simplement le temps long à ne rien faire. C'était déjà une grande différence avec Hank qui, lui, en s'occupant d'un espoir olympique, ne songeait qu'à se faire de l'argent.

— Pourquoi croyez-vous alors qu'il s'intéresse à Marilyn? finit-elle par demander. Pour le prestige, au cas où elle deviendrait une championne?

— Mais, mon enfant, tu ne comprends rien? Bret n'est pas de ceux qui...

14

– Je crois surtout que je ferais mieux de le rencontrer, avant même d'avoir vu Marilyn.

– Je ne pense pas que ce soit une bonne idée, déclara Jim l'air soucieux. Si ce qu'elle fait te contrarie à ce point, c'est elle que tu dois faire changer d'avis, pas lui.

D'un geste, elle rejeta cette suggestion.

– Tu oublies à quel point Marilyn peut être têtue. Non, j'aurai probablement plus de chance avec lui. Il faut qu'il cesse de la bercer de doux rêves.

– Mais je te répète qu'il ne fait rien de tel! Encore une fois, tu te trompes en comparant...

Au grand soulagement d'Eve, la sonnerie du téléphone l'interrompit. Pour rien au monde elle ne voulait se disputer avec lui ou avec sa tante. Ayant finalement décidé de faire ce qu'elle jugerait bon sans rien demander à personne, quand son oncle raccrocha, elle lui sourit et s'étira.

– C'est incroyable ce qu'un voyage en car peut être fatigant. J'ai très sommeil, dit-elle en étouffant un bâillement.

– Prends la voiture de ta tante et rentre au chalet, suggéra Jim.

Eve se redressa en ayant bien soin de ne pas se montrer trop pressée.

– Cela ne t'ennuie vraiment pas? Un bon bain bien chaud me tenterait assez...

– Eh bien, vas-y, dit-il en lui tendant un trousseau de clefs. Comme ça tu pourras te détendre avant d'affronter Marilyn. Je suis vraiment content que tu sois là, ajouta-t-il avec un sourire en l'embrassant sur le front. Si tu savais comme tes visites nous ont manqué!...

– A moi aussi! murmura Eve en se sauvant, au bord des larmes.

Tandis qu'elle roulait dans la petite voiture verte de Miriam, ses souvenirs d'enfance l'assaillaient : quel bonheur d'avoir eu un oncle et une tante comme eux, presque des seconds parents! Miriam et Jim, qui n'avaient pas pu avoir d'enfants, avaient reporté toute leur tendresse sur elle et sur sa sœur.

Se sentant d'autant plus coupable, elle hésita un instant avant d'entrer dans un café pour chercher l'adresse de Bret Chandler. Mais l'avenir de Marilyn était en jeu. Même si elle répugnait à faire fi des conseils de son oncle, c'était son devoir d'aller parler à cet individu. Il était le seul à pouvoir faire changer sa sœur d'avis. Si toutefois il acceptait d'essayer...

Loin de la circulation de Vail, Eve se détendit un peu. Elle s'engagea sur la petite route sinueuse qui menait à Deer Park. Les champs couverts de neige, les arbres dénudés, les montagnes... elle aimait ce paysage et ce spectacle aussi lui avait manqué. Peut-être avait-elle été ridicule de renoncer à venir à Vail à cause de ses douloureux souvenirs?

Elle en était là de ses réflexions lorsqu'elle arriva à Lake Drive où habitait Bret Chandler. La route était plus étroite, bordée de sapins, avec des plaques de neige par endroit. Eve conduisait avec une extrême prudence; elle ne connaissait pas bien cette voiture et la pente devenait de plus en plus raide.

Pourquoi fallait-il qu'il habite dans un coin aussi reculé? se demandait-elle avec rage. Elle ralentit, déchiffra un nom sur une boîte aux lettres et, soulagée, s'aperçut qu'elle était enfin arrivée. Ou presque. Elle se trouvait au bas d'un chemin qui montait de nouveau en serpentant au milieu des arbres. Quelqu'un avait dû l'emprunter récemment, car il y avait des traces de pneus toutes fraîches. Ne faisant pas confiance à la voiture de sa tante, elle décida de continuer la route à pied.

Par bonheur, la neige ne l'effrayait pas. Au bout d'une quarantaine de mètres, le sentier déboucha dans une clairière où, à l'ombre d'un superbe cèdre, se dressait un chalet de bois foncé. Une partie était en pierre, avec une imposante cheminée sur le toit :

cette maison lui plut, bien que d'habitude elle ait peu de goût pour les constructions modernes, dépourvues d'âme.

Le silence des bois environnants était impressionnant. Elle hésita un instant devant la lourde porte de chêne, la main sur le marteau de cuivre. Ce Bret Chandler n'était probablement qu'un jeune garçon qui essayait de jouer au dur et de tirer quelque gloire des dons de sa sœur... Surmontant sa timidité, elle frappa.

Ce ne fut pas un adolescent qui vint lui ouvrir, mais un homme grand, aux cheveux châtains, aux yeux bleu turquoise, et qui parut agréablement surpris de trouver cette étrange jeune fille sur le seuil de sa porte. Qu'il soit séduisant ne l'étonnait pas. Eve pensait même qu'il aurait cet air suffisant qu'arborent généralement les athlètes persuadés d'avoir un charme irrésistible. Mais lui ne la regardait pas avec condescendance, du haut de sa grande taille. Il attendait, souriant, l'air interrogateur, la tête légèrement penchée de côté.

– Je suis la sœur de Marilyn Martin, finit par dire Eve. J'aimerais vous parler d'elle un instant.

Au ton sérieux qu'elle avait pris, son sourire s'effaça et il lui fit signe d'entrer.

2

– Excusez-moi de venir comme ça, à l'improviste, dit Eve. J'aurais dû vous téléphoner mais il était important que je vous parle sans tarder. J'espère que je ne vous dérange pas?

– Mais pas du tout, la rassura-t-il.

Sa réponse était sans doute de pure politesse car, devant le feu, se prélassant sur des coussins à même le sol, Eve aperçut une ravissante jeune femme. Et son expression disait clairement que cette intrusion ne lui plaisait guère. Eve pesta intérieurement. Comment le rallier à sa cause si elle l'interrompait en plein intermède sentimental?

– Oh, mon Dieu! Je suis vraiment désolée. Je pensais que vous étiez seul, murmura-t-elle avec un faible sourire. Il vaut peut-être mieux que je revienne une autre fois?

– Mais non. Liz était sur le point de partir, n'est-ce pas Liz?

– Disons que je n'ai plus vraiment le choix, répondit la jeune femme avec une certaine grossièreté.

Se relevant avec grâce, elle ajouta en minaudant :

– Je n'ai pas pu rester bien longtemps...

Son ton enjôleur irrita profondément Eve sans qu'elle sache au juste pourquoi. Elle avait déjà rencontré des dizaines de filles comme Liz et d'habitude leurs tentatives de séduction l'amusaient plutôt. «Je dois être sur les nerfs», se dit-elle, tandis que Bret sortait raccompagner sa visiteuse.

Restée seule, Eve regarda autour d'elle, pensant trouver les inévitables trophées de ski exposés en évidence. Mais il n'y en avait aucun. Décidément cet homme était une énigme.S'il était capable d'entraîner Marilyn, il devait bien avoir gagné une ou deux coupes? Nerveuse, elle s'assit au bord d'un canapé. Elle s'en voulait d'être aussi anxieuse, mais l'enjeu de sa démarche était trop important pour qu'elle puisse se détendre. Quand il revint, elle lui sourit timidement.

– Avant que nous n'en venions à Marilyn, puis-je vous offrir quelque chose à boire? demanda-t-il en se dirigeant vers un bar encastré dans le mur. Que voulez-vous? Un cocktail?

– Un peu de vin blanc, peut-être, si vous en avez...

Elle aurait préféré qu'il ne soit pas si hospitalier...

– Alors, de quoi vouliez-vous me parler? demanda-t-il tout en lui tendant un verre.

En s'asseyant à côté d'elle, il lui frôla le genou, Eve le regarda avec méfiance.

– De Marilyn, bien sûr! (Elle toussa nerveusement, avant d'ajouter :) Pourquoi avez-vous décidé de l'entraîner?

– Parce que Jim me l'a demandé, répondit-il simplement en étendant son bras derrière elle. J'avais une dette envers lui.

Incrédule, Eve écarquilla les yeux.

– Jim? Vous voulez dire mon oncle, Jim Martin? C'est lui qui vous l'a demandé. Mais pourquoi?

– Et pourquoi pas? Nous sommes de vieux amis. Quand Marilyn lui a annoncé qu'elle ne retournerait pas à San Francisco et qu'elle voulait rester pour améliorer sa technique, il a pensé qu'elle aurait besoin de quelqu'un pour la faire travailler.

Pourquoi oncle Jim ne lui en avait-il rien dit? Evidemment, elle ne lui en avait guère laissé le temps. Quoi qu'il en soit, cela ne changerait rien à l'affaire. Elle reprit son souffle et alla droit au but :

– Je sais que ma requête va vous paraître étrange mais... je voudrais que vous découragiez ma sœur de faire du ski.

Intrigué, il leva les sourcils.

– Puis-je vous demander pourquoi?

– Parce que, de toute évidence, c'est une erreur, affirma-t-elle sans hésitation. Quelle chance a-t-elle d'accomplir de réels progrès? Il est presque impossible qu'elle atteigne le niveau de la Coupe du Monde. Quant aux Jeux Olympiques cela tiendrait du miracle. Et telle que je connais Marilyn, elle rêve déjà de médailles d'or.

– Cela ne me surprendrait pas le moins du monde. Votre sœur a une certaine tendance à ignorer les efforts qu'il faut faire pour réussir. Mais j'essaie de lui faire voir les choses avec un peu plus de réalisme.

— Lui avez-vous dit qu'elle a toutes les chances d'échouer?

Il plissa les yeux et secoua la tête.

— Je ne le lui ai pas dit parce que, avec beaucoup de travail et un peu de chance, je crois qu'elle peut aller très loin.

Eve soupira.

— Vous m'accorderez que l'échec est tout aussi probable.

— Ce n'est jamais gagné d'avance, mais finalement il y a bien quelqu'un, un jour, qui emporte la médaille d'or!

— C'est entendu. Mais je ne voudrais pas que ma sœur mette tout en jeu alors qu'elle a une chance sur un million de réussir.

— Quand on veut vraiment quelque chose, il faut savoir prendre ses risques.

— Mais le veut-elle vraiment? insista Eve. Elle est si jeune! Trop jeune pour le savoir elle-même!

— Vous parlez comme si vous étiez très vieille et très sage, fit-il remarquer d'un air amusé.

— Beaucoup plus sage en tout cas que je ne l'étais à son âge il y a quatre ans, vous pouvez en être sûr! riposta-t-elle avec impatience.

Puis, un peu honteuse d'avoir été si sèche, elle ajouta :

— Je pense que dix-sept ans, c'est trop jeune pour prendre la décision de sacrifier des années d'étude au profit de quelque chose qui peut se révéler très dangereux.

— Il peut être aussi très dangereux de monter dans une voiture...

C'était clair : il ne l'aiderait pas. Comme elle s'y attendait, elle allait rester seule, face à sa sœur.

— Je vous ai fait perdre assez de temps comme cela, dit-elle soudain en faisant mine de se lever.

Mais Bret la retint. Intriguée, elle l'interrogea du regard.

– Savez-vous que Marilyn estime devoir faire tout ce que vous avez fait? demanda-t-il gentiment. C'est vrai. Elle est persuadée qu'elle doit essayer de vous égaler.

– Mais j'ai échoué! Elle ne peut pas avoir oublié la catastrophe que cela a été pour moi! s'exclama-t-elle amèrement. Elle ne peut pas avoir envie de rivaliser avec moi dans l'échec?

– Elle ne pense pas à l'échec, bien sûr. Non. Je crois plutôt qu'en voulant réussir elle s'est fixé un double but : d'abord, elle veut se différencier enfin de vous; mais elle espère aussi que, grâce à son succès, vous accepterez mieux ce qui vous est arrivé.

– Mais la seule chose qui ait jamais compté pour moi, même à cette époque, c'était la danse! Jamais je ne l'aurais abandonnée pour le ski! La seule façon qu'elle aurait de me consoler, ce serait justement de retourner à San Francisco, à son école de danse!

– Avez-vous jamais songé qu'elle a peut-être choisi le ski parce qu'elle le préférait au ballet?

Eve écarta cette idée d'un geste.

– C'est imposible. C'est-à-dire, peut-être qu'elle pense comme ça aujourd'hui, mais...

– Mais elle, ce n'est pas vous! interrompit Bret. (Il la fixait de ses yeux limpides comme s'il cherchait à lire sur son visage.) Elle est différente! Vous ne devez pas espérer qu'elle se conduise comme vous!

– Au fond, vous pensez que c'est pour ça que je ne veux pas qu'elle abandonne la danse! s'écria Eve, incrédule. Pour que je puisse mener la vie que j'aurais souhaitée par personne interposée?

– Cela n'explique-t-il pas en partie votre attitude? demanda-t-il doucement. Peut-être inconsciemment...

– Mais qui êtes-vous au juste? Un psychologue amateur? Vous croyez vraiment que mes motifs sont purement égoïstes?

– Je n'ai rien dit de tel, vous le savez bien. Mais ne pensez-vous pas que ce pourrait être une des raisons...

– Admettons, répondit Eve en soupirant. Mais je n'en suis pas convaincue. En fait, mon seul souci, c'est d'éviter qu'il arrive malheur à ma sœur.

Il hocha la tête en signe d'approbation, Eve se sentit tout à coup profondément troublée par la compassion qu'elle lut dans ses yeux. Par rapport à lui, elle était en position d'infériorité. Il savait probablement beaucoup de choses sur elle, alors qu'elle ignorait tout de lui. Jamais elle n'aurait dû venir lui ouvrir ainsi son cœur. Elle ne voulait pas de sa pitié. Et le pire, c'était qu'elle avait encore une faveur à lui demander.

– Même si vous n'êtes pas de mon avis, je... enfin, je préférerais que vous ne mettiez pas au courant Marilyn de notre conversation. Laissez-moi au moins une chance de lui parler et d'essayer de lui faire comprendre mon point de vue.

– C'est entendu. Je n'en soufflerai pas mot, promit-il.

Eve le regarda en se demandant si elle pouvait vraiment compter sur sa parole.

– Je suis désolée de vous avoir dérangé, murmura-t-elle en se levant. J'espère que votre amie Liz n'est pas fâchée.

Bret sourit et l'aida à mettre sa veste.

– Les émotions de Liz ne durent jamais très longtemps. Ne vous inquiétez pas pour elle. Où est votre voiture?

– Je l'ai laissée en bas. J'ai eu peur de rester bloquée.

– Vous auriez pu, en effet. Il fait très froid à cette heure-ci, et le sol est gelé. Je vous accompagne pour voir si vous pouvez démarrer, ajouta-t-il en enfilant son anorak.

– Ne vous dérangez surtout pas pour moi.

– Je dois sortir de toute façon. J'ai rendez-vous avec Marilyn. Je suis déjà en retard de dix minutes.

En mettant le contact, Eve constata que Bret avait vu juste : les roues patinaient et il lui était impossible de faire demi-tour. Bret dut l'aider à reculer. Elle se retourna pour suivre la manœuvre et ne put s'empêcher de remarquer à quel point il était bien bâti et musclé.

Grâce à lui, elle réussit enfin à rejoindre la route. Comme elle baissait la vitre pour le remercier, à sa grande surprise il se pencha et lui prit le menton.

– Essayez de ne pas trop vous inquiéter pour votre sœur, dit-il doucement. Tous les skieurs de compétition ne sont pas forcément blessés, vous savez.

Elle sourit tristement, espérant qu'il voudrait bien cesser de lui caresser la joue. Et pourtant, quand il retira sa main, elle ressentit une espèce de regret ridicule. Elle marmonna un au revoir et démarra.

Elle se sentit soudain affreusement seule. Elle n'avait gagné personne à sa cause. Pendant un bref instant elle eut envie de rentrer à Denver et de les abandonner tous à leur folie du ski. Et puis non! Elle n'allait pas se sauver avant d'avoir parlé à Marilyn!

Pour rentrer au chalet, elle devait traverser de nouveau Vail. A cette heure-ci les skieurs avaient quitté les pistes et se promenaient en ville. Elle se dépêcha de fuir l'agitation du centre. L'effervescence qui gagnait le village à la tombée de la nuit lui déplaisait souverainement. Hank avait bien essayé de l'entraîner dans le tourbillon de cette gaieté superficielle, propre aux endroits de villégiature. Avant même de le connaître, elle avait compris que ce n'était pas sa place, et elle avait espéré l'amener lui aussi à y renoncer. De toute évidence, elle n'y avait pas réussi. Après son accident, il avait quitté Vail au bras d'une riche héritière entre deux âges pour qui arriver à Saint-Moritz en traînant son moniteur privé représentait le fin du fin.

En apprenant qu'il était parti avec cette femme, elle s'en était voulu horriblement d'avoir succombé à son charme. L'idée qu'elle n'avait jamais, malgré tout, cédé à ses avances l'avait un peu consolée. Elle avait été stupide, à bien des égards, mais au moins avait-elle eu assez de bon sens pour comprendre qu'à dix-sept ans elle n'était pas mûre pour ce genre de relations avec un homme. Ou peut-être son subconscient l'avait-il avertie que Hank était un individu égoïste et superficiel qui ne méritait pas sa confiance.

Après avoir quitté Vail, Eve suivit une petite route sinueuse qui longeait un ruisseau. Mais, insensible au paysage, elle pensait à Bret Chandler. Après tout, il ne ressemblait pas tellement à Hank. D'abord il avait de l'argent. Il devait même être riche, à en juger par sa maison et par le prix du terrain à Vail. Et il ne se conduisait pas comme lui. Mais peut-être avait-il simplement plus de finesse. C'était sans doute là l'explication. Parce que quand on voyait comment il passait ses journées... sur les pistes ou à plat ventre dans un salon avec des jeunes personnes comme Liz.

Son oisiveté ne lui inspirait que du mépris et, malgré tout, le fait qu'il ait pu mettre en doute la sincérité de son attitude vis-à-vis de Marilyn la troublait. Maintenant, elle se sentait obligée de s'interroger. Peut-être avait-elle vraiment envie que sa sœur atteigne le but qu'elle-même s'était fixé autrefois. Pourtant, en imaginant Marilyn sur des skis, ce qu'elle ressentait c'était bien de la frayeur; elle la voyait aussitôt tomber, dévaler sur la neige, gravement blessée...

Non, Bret avait tort, décida-t-elle enfin fermement. Elle était inquiète pour sa sœur, un point c'est tout. Et si par hasard d'autres raisons, même inconscientes, l'avaient poussée à venir, de toute façon, elles étaient sans grande importance.

La porte du chalet lui fut ouverte par Roberta, la domestique de sa tante.

– Que vous êtes belle! s'écria-t-elle dès qu'elle la vit en lui prenant son fourre-tout des mains.

Un joyeux sourire éclairait son visage rose et grassouillet.

– M. Jim m'a téléphoné pour me prévenir que vous étiez là, dit-elle en lui caressant la joue. Vous êtes sûrement fatiguée et morte de faim.

– Non, merci, je n'ai pas faim; mais un bain chaud me ferait très plaisir, répondit Eve qui fit une grimace en s'appuyant sur sa jambe.

Roberta fronça les sourcils.

– Ça ne va pas?

– Mon genou s'est un peu engourdi pendant le voyage. Ce n'est rien. Ça va passer.

– Après le bain, je vous mettrai un emplâtre de ma façon qui vous soulagera, vous verrez.

– Oh! Ce n'est pas la peine.

– Ça ne fait rien. Vous y aurez droit quand même, déclara Roberta avec un sourire chaleureux et maternel.

Eve savait qu'il était inutile de discuter; elle lui rendit son sourire et monta jusqu'à la chambre d'amis. Heureusement qu'elle n'avait pas apporté grand-chose car les placards étaient pleins à craquer des vêtements de Marilyn. Elle fit un peu de place, suspendit sa robe de jersey vert, deux pantalons et rangea ses deux pull-overs. Déshabillée, elle allait entrer dans la salle de bains quand Roberta arriva avec son emplâtre.

– Voilà, mon petit, dit-elle en l'examinant sans la moindre gêne. Vous êtes encore un peu mince mais quand même, vous vous êtes un peu arrondie. Vous avez moins l'air d'un garçon. Je n'en dirai pas autant de votre sœur.

– Je ne crois pas qu'elle apprécierait ce genre de remarque, répondit Eve en riant.

– Peut-être, mais c'est la vérité. Elle est toute efflanquée; les garçons doivent avoir des muscles et les filles des rondeurs. Depuis qu'elle s'est fait couper les cheveux, on dirait un manche à balai.

– Parce qu'elle s'est fait couper les cheveux? s'exclama Eve. Jusqu'où?

– Je connais des garçons qui les ont plus longs. Un peu comme un mouton. Ça ne serait pas si mal, si elle avait des formes!

Eve entra dans la salle de bains en soupirant:

– Ça la regarde, après tout! murmura-t-elle.

En sortant de l'eau, elle suivit les conseils de Roberta et enveloppa soigneusement son genou avec l'emplâtre. Puis, allongée sur son lit, bien appuyée sur ses oreillers, elle ferma les yeux. Petit à petit, la chaleur atténua sa douleur.

Elle fut réveillée en sursaut par l'entrée fracassante de sa sœur.

– Mais tu es vraiment là! hurla Marilyn en se jetant à son cou. J'ai cru qu'oncle Jim plaisantait!

– Eh oui! je suis là, murmura Eve en s'étirant. C'est oncle Jim qui te l'a dit? Où l'as-tu vu? Au magasin?

Bret Chandler avait tenu sa promesse. Il n'avait pas vendu la mèche.

– Non, ici. Il est plus de 6 heures et demie, belle endormie, déclara Marilyn en gloussant.

– Tu plaisantes! s'exclama Eve en se redressant. J'aurais dormi presque deux heures?

– Tu en avais sans doute besoin. Roberta nous a dit que tu étais très fatiguée et que tu souffrais, reprit-elle en regardant avec une grimace l'emplâtre qui couvrait le genou de sa sœur. Ça te fait vraiment mal?

26

– Disons que ça ne fait pas du bien. J'ai toujours eu des ennuis depuis que...

– Comment trouves-tu mes cheveux? l'interrompit Marilyn en allant se planter devant la glace.

– C'est joli, répondit Eve, mais, honnêtement, je les préférais longs.

Voyant que sa franchise n'était pas très appréciée, elle se tut et contempla sa sœur. Elle ne l'avait pas vue depuis plusieurs mois et elle la trouvait très changée. Marilyn lui ressemblait moins qu'autrefois. Sa coiffure y était-elle pour quelque chose ou était-ce son attitude? Quelle qu'en soit la raison, Marilyn était différente, elle lui semblait étrangère, presque distante.

Réprimant un soupir, Eve enleva son emplâtre et mit le pied par terre.

– On dirait que tu as encore grandi! remarqua-t-elle, surprise. L'été dernier tu ne me dépassais pas autant!

– C'est sans doute le ski qui me réussit. Je prends des forces en étant tout le temps dehors.

– Oh! Tu n'étais pas si frêle que ça, avant! Surtout après dix ans de danse!

– Le ski, c'est différent. C'est l'air qui me fait du bien.

– Bien sûr! Le ski c'est excellent, rétorqua Eve d'un ton plus mordant qu'elle ne l'aurait voulu. Ça m'a parfaitement réussi à moi aussi!

– Ton accident était imprévisible, murmura Marilyn. Cela n'arrive pas tous les jours.

Luttant contre une irritation grandissante, Eve eut l'impression que l'explication serait plus difficile que prévu. Non seulement le ski était devenu l'occupation favorite de sa sœur, mais maintenant elle était convaincue qu'il ne pouvait rien lui arriver... Elle avait une envie folle de la prendre par les épaules et de la secouer, mais, serrant les poings, elle se domina et alla droit au but :

– Pourquoi as-tu quitté l'école de danse? Cet été

tu semblais plutôt pressée de retourner à San Francisco.

Exagérant une grimace de dégoût, Marilyn lui fit face.

– Donc, j'avais raison? Tu n'es venue que pour me harceler avec cette histoire de ballet?

– Je ne suis pas venue te harceler. Je suis venue m'assurer que tu sais ce que tu fais.

– Je n'ai plus dix ans, répliqua Marilyn en tapant du pied comme une enfant. Je suis une adulte maintenant, au cas où tu ne l'aurais pas remarqué! Plus besoin de jouer à la grande sœur et de te sentir responsable de moi.

– Je n'ai jamais joué à la grande sœur! riposta Eve qui perdait patience, je *suis* ta grande sœur et je me sens effectivement responsable de toi.

– Eh bien, tu as tort. Surtout si c'est pour me dire que je n'aurais pas dû abandonner la danse! De toute façon il est trop tard pour me faire la leçon. Ce qui est fait est fait.

– Mais on te reprendrait certainement à l'école, dit Eve qui n'avait pas encore perdu tout espoir. Tu n'as manqué que deux semaines!

– Tu ne veux donc pas comprendre! je n'y retournerai pas. Je veux rester ici et améliorer ma technique.

Eve eut un geste d'impuissance.

– Non, en effet, je ne comprends pas. Tu es tellement sur la défensive que je me demande si tu es si sûre que ça d'avoir fait le bon choix.

– Que faut-il que je dise pour te convaincre? Je suis sûre et certaine d'avoir fait le bon choix!

– Pour un peu on croirait que tu détestes la danse, maintenant, alors que tu as toujours adoré ça!

Marilyn secoua la tête.

– Non! *toi* tu adorais danser. Moi, j'aimais bien ça. Nuance!

Stupéfaite, Eve regarda sa sœur comme si elle la voyait pour la première fois.

– Mais alors, finit-elle par demander, pourquoi avoir laissé croire si longtemps que cela te passionnait?

Marilyn haussa les épaules.

– J'imagine que j'essayais de te ressembler. Tu aimais tellement la danse que je pensais devoir l'aimer, moi aussi. Mais cette année, en rentrant à San Francisco, je me suis rendu compte à quel point tout cela m'ennuyait. Et quand on a commencé à répéter une fois de plus « Casse-Noisette » pour Noël, j'ai eu envie de hurler! Nous l'avions déjà dansé au moins un million de fois!

– Mais c'est pour faire plaisir au public qui le réclame. Tout le reste de l'année, tu aurais travaillé d'autres ballets.

– S'il n'y avait que ça! J'en avais assez de toutes ces répétitions. Sans compter que, comme j'avais grandi d'au moins deux centimètres en un an, miss Valanov avait constamment l'œil sur moi. On aurait dit qu'elle avait peur que je pousse, là, juste sous son nez! Si j'avais pris encore un demi-centimètre, elle m'aurait de toute façon mise à la porte. Trop grande! Alors pourquoi supporter cet épouvantable entraînement, si c'est pour se faire renvoyer en fin de compte?

– Serais-tu en train de te chercher des excuses? demanda Eve en regardant sa sœur attentivement. Tu n'es pas si grande que ça! Je ne vois pas pourquoi on t'aurait renvoyée.

– C'est trop fort! Tu n'étais pas là! Comment peux-tu savoir ce qui serait arrivé? Moi, j'ai bien vu de quel œil elle me guettait!

– D'accord, d'accord! Inutile de te mettre dans un état pareil. Mais même si tu ne veux pas reprendre tes cours de danse, tu ne peux pas trouver autre chose à faire que du ski?

– Non! parce que j'aime le ski! lança Marilyn

exaspérée, en se laissant tomber dans un fauteuil. Qu'est-ce que tu as contre? Est-ce si épouvantable de vouloir être la meilleure au slalom? Imagine la suite : d'ici quelques années je pourrai affronter les Jeux olympiques.

Nerveusement, Eve se passa la main dans les cheveux.

— Tu en parles comme si c'était déjà fait. Tu oublies toutes les compétitions que tu vas devoir affronter avant même de t'approcher des Jeux. Ce type qui te sert d'entraîneur doit te bourrer la tête de sottises!

— Ce type! tu penses que Bret n'est qu'un pauvre type? s'écria Marilyn, les yeux brillants de colère. Eh bien, tu te trompes! Hank en était un, lui, et bien incapable de faire autre chose que du ski. Mais laisse-moi te dire que Bret est un peu plus intelligent!

— Ah oui? Alors s'il est tellement intelligent, pourquoi passe-t-il son temps à traîner dans Vail toute la journée? Tu peux me répondre à ça?

Marilyn eut un sourire mauvais.

— Bien sûr! Avec plaisir même! Et quand tu m'auras entendue tu regretteras de ne pas avoir attendu de le rencontrer avant de porter sur lui des jugements ridicules!

— Mais je l'ai rencontré. Cet après-midi même.

Marilyn resta un instant la bouche ouverte.

— Mais comment? Où ça?

— Je suis allée chez lui, pour lui parler.

— Tu as fait quoi?

— Je viens de te le dire. Je suis allée le voir pour lui parler de toi. Je reconnais volontiers qu'il a l'air plus intelligent que Hank, bien qu'il fasse un piètre usage de cette intelligence.

Marilyn se leva d'un bond et se mit à marcher de long en large.

— Je n'arrive pas à croire que tu aies vraiment fait

ça! Qu'est-ce qui t'autorise à fourrer ton nez dans mes affaires?

– Le fait que je m'intéresse à toi et que je voudrais éviter qu'il t'arrive malheur. Je ne vois pas pourquoi cela te bouleverse à ce point.

– Ce n'est pas Bret qui attirera le malheur sur moi, pauvre idiote! Il n'est pas le polichinelle que tu crois! Et s'il m'entraîne, c'est à ma demande et à celle d'oncle Jim.

– Et, bien sûr, le prestige qu'il pourrait en retirer, si jamais tu réussissais, n'a rien à voir dans l'affaire.

– Je ne vois pas très bien ce que ça lui rapporterait. Il n'a pas besoin de moi pour être quelqu'un. Il a déjà assez de succès comme écrivain.

Stupéfaite, Eve ne savait plus ni quoi dire ni quoi penser. Elle s'était attendue à tout, sauf à ça. Finalement elle parvint à articuler à peu près correctement:

– Et... quel genre de choses écrit-il?

– Oh! je ne sais pas... des articles pour des magazines, j'imagine. Tout ce que je sais, c'est qu'il est très occupé. C'est une chance qu'il ait accepté de s'occuper de moi pour le moment. Après, si je fais assez de progrès, il demandera à son propre entraîneur de me prendre en main.

Secouant la tête, Eve s'assit au bord du lit.

– Bon! Je reconnais que je l'ai jugé un peu vite.

– Et qu'est-ce que tu lui as raconté?

Eve regarda sa sœur droit dans les yeux.

– Je lui ai demandé de te décourager, de t'expliquer clairement dans quoi tu t'engageais. Si tu t'es lassée de la danse, comment supporteras-tu des heures et des heures d'entraînement sur des skis?

– Mais ce n'est pas du tout la même chose! C'est excitant, dangereux et on est amené à rencontrer toutes sortes de gens passionnants. Je ne sais pas si je pourrai te pardonner cette visite à Bret. Si jamais

31

il refusait de s'occuper de moi maintenant, je te vouerais une haine éternelle!

– Oh! ne sois pas si théâtrale! Il n'est pas le seul entraîneur sur la terre!

– Il n'y en a pas d'autres comme lui, murmura Marilyn, le regard chargé de reproches. Il est assez unique et de toute façon il compte énormément pour moi.

Soudain alertée, Eve ouvrit de grands yeux.

– Qu'entends-tu par là exactement? Pas ce à quoi je pense, j'espère?

– Et pourquoi pas? s'écria Marilyn, les poings serrés et les joues en feu. Même toi, tu as dû remarquer qu'il était séduisant, et drôle et intelligent, et...

– Et beaucoup trop vieux pour toi, l'interrompit Eve avec impatience. Tu ne te sens pas un peu gênée de te laisser tourner la tête de façon aussi ridicule?

– Je n'ai pas la tête tournée! Et Bret n'est pas si vieux : il a trente et un ou trente-deux ans et je ne vois pas pourquoi je ne pourrais pas tomber amoureuse de lui.

– Il le sait?

– Bien sûr que non! Et ne t'avise pas de le lui dire, sinon... Je veux d'abord être sûre de ses sentiments avant de lui laisser entrevoir les miens.

Dans un état de malaise étrange, Eve serra les bras sur sa poitrine et regarda sa sœur d'un air désolé :

– Essayes-tu de me faire croire qu'il s'intéresse vraiment à toi?

– Et alors? Qu'est-ce que j'ai? Suis-je si affreuse? Cela te paraît invraisemblable qu'on puisse me considérer comme une femme?

– N'interprète pas mes paroles de travers! J'ai seulement l'impression qu'il doit préférer avoir affaire à des femmes plus âgées et plus expérimentées que toi. Mais qu'est-ce qui te permet de croire qu'il te porte un intérêt quelconque? Est-ce qu'il t'a seulement embrassée?

— Ça ne te regarde pas! Je ne suis pas obligée de te répondre.

Ce qui signifiait sans doute qu'il ne l'avait pas fait. Eve en fut très soulagée. Mais une autre idée lui vint tout à coup: et si, au contraire, ils étaient allés bien au delà du simple baiser? Cela expliquerait également qu'elle ne veuille pas lui en parler... Non, c'était impossible. Elle avait tout de même assez de jugeote pour ne pas se lancer dans une aventure pareille avec un homme dont elle ignorait les sentiments qu'il avait pour elle. Rassurée, Eve écarta cette hypothèse.

Sa sœur lui parut soudain, extrêmement jeune et naïve et elle se reprocha de la tourmenter de cette façon.

— Ne sois pas fâchée contre moi, lui dit Eve avec un sourire un peu triste. Je ne cherche que ton bien, tu sais.

— Alors, tiens-toi à distance de Bret et cesse de l'inciter à me décourager, répliqua durement Marilyn.

— Encore une petite question, une seule, insista Eve. Tu es sûre que tu ne t'intéresses pas plus à lui qu'au ski?

— Je m'intéresse aux deux, répondit Marilyn, vexée. Et dorénavant, je te serais reconnaissante de ne pas te mêler de ma vie, ajouta-t-elle, puis, tournant les talons, elle sortit en claquant la porte.

Eve était effondrée. Elle pensait bien qu'elle rencontrerait des difficultés, mais elle ne s'attendait pas à un pareil désastre. Maintenant qu'elle avait dressé sa sœur contre elle, il devenait à peu près impossible de lui faire comprendre son erreur. Et Eve était de plus en plus convaincue que c'en était une. Il n'y avait plus qu'une chose à espérer: que Bret ne soit pas homme à vouloir profiter de la situation. Il ne donnait pas cette impression, mais elle avait appris depuis longtemps à se méfier des apparences.

S'habiller pour le dîner lui coûta un immense effort. Elle avait enfilé sa robe de jersey vert, mis un peu de rouge sur ses joues pour cacher sa pâleur et commençait à se brosser les cheveux lorsque sa tante entra.

— Marilyn est descendue en pleurant, lui déclara Miriam sans préambule. Elle n'a pas voulu nous dire pourquoi mais il ne faut pas être bien malin pour comprendre que c'est à la suite de votre discussion, n'est-ce pas?

— Je suis désolée qu'elle en soit si bouleversée, murmura Eve. Mais après tout, ce n'est pas notre première dispute et cela finit toujours par s'arranger.

— Vous n'êtes plus des enfants, et cette fois-ci Marilyn aura plus de mal à s'en remettre. Tu lui as peut-être dit quelque chose qui l'a vraiment blessée?

Surprise par cette accusation à peine voilée, Eve pivota sur son siège et regarda sa tante bien en face.

— Je ne crois pas, tante Miriam. J'ai seulement essayé de découvrir le fin mot de ses actes, mais elle est restée sur la défensive.

— Je te le répète, elle a dix-sept ans maintenant. Tu ne peux pas espérer qu'elle ne fasse que des choses qui te plaisent.

— Cela signifie sans doute que ce qu'elle fait ne me regarde pas?

— Mais non, ma chérie. Je voudrais seulement que tu n'oublies pas qu'elle a sa propre personnalité. Elle va certainement faire des choix différents des tiens. Elle ne peut pas toujours marcher sur tes traces.

— Mais je ne lui ai jamais demandé ça! s'écria Eve en se détournant pour cacher ses larmes.

Voilà qu'elle se retrouvait dans le rôle du vilain de la farce! Pour avoir cherché à sauvegarder sa sœur, elle s'attirait maintenant colère et reproches... La gorge serrée, elle alla chercher ses chaussures dans le placard en évitant le regard de sa tante.

— Tu as sans doute raison, murmura-t-elle en enfilant ses escarpins de daim. Marilyn n'a pas besoin de moi pour savoir ce qu'elle a à faire. Je me fais certainement trop de soucis. Après tout, elle n'est pas seule. Vous êtes là, toi et oncle Jim! Et Bret Chandler aussi.

Elle se releva et se força à sourire.

— Je partirai demain. C'est certainement ce que j'ai de mieux à faire.

— Tu es la bienvenue ici, aussi longtemps que tu décideras de rester. J'espère que tu n'en doutes pas?

— Bien sûr, répondit-elle avec un entrain forcé. Mais des amis m'ont proposé de les accompagner à la montagne le week-end prochain. J'irais volontiers me détendre au calme.

— Tu ne veux pas rester jusqu'à samedi pour la voir courir? demanda sa tante, un peu surprise. Elle serait très soulagée de constater que tu ne la désapprouves pas.

— Si tu estimes que c'est préférable, alors c'est entendu.

Quel besoin pouvait bien avoir Marilyn de son soutien moral quand elle bénéficiait de celui de tout le monde, à part elle? Enfin! Il s'agissait de patienter seulement deux jours. Après tout, cela valait sans doute mieux.

3

Le jeudi et le vendredi, Eve resta à la maison. Sa sœur était à l'école, sa tante et son oncle, au magasin. Elle passa son temps à lire et à aider Roberta au ménage. Le soir, en famille, elle se montra particulièrement réservée et prit à peine part à la conversation.

Le samedi matin, Marilyn avait surmonté sa colère et les deux sœurs étaient réconciliées. Eve avait été assez avisée pour ne plus faire allusion ni à la danse, ni au ski, ni surtout à Bret Chandler. Bien que toujours soucieuse, elle avait compris que personne ne réclamait son avis...

Après le petit déjeuner, Eve monta faire sa valise pour ne pas avoir à revenir après la course. D'ailleurs, pour peu que le slalom ait du retard, elle ne pourrait pas y assister, ou alors elle manquerait son car pour Denver – ce qu'elle redoutait par-dessus tout. Elle avait envie de se retrouver chez elle où elle se sentait moins seule, dans sa solitude, qu'ici où elle était visiblement de trop.

Elle était occupée à plier soigneusement ses affaires quand sa sœur entra; elle la regarda faire un moment.

– Où vas-tu passer le reste de tes vacances? demanda-t-elle enfin. Tu as des projets précis?

– Non, je vais voir, répondit Eve en fermant son sac. Cela ne m'a jamais posé de problème.

– Tu remonteras pour Noël? Comme je dois rester ici pour ne pas interrompre mon entraînement, papa et maman ont l'intention de nous rejoindre.

– Je l'ignorais, murmura Eve. Je croyais que nous fêterions tous Noël chez eux, comme d'habitude.

– Mais puisqu'ils seront là, tu viendras aussi?

Eve haussa les épaules. Comment lui expliquer le plus délicatement possible qu'elle n'avait plus rien à faire à Vail et nulle envie d'y revenir?

– Eh bien, insista Marylin. C'est oui ou c'est non?

– Je ne sais pas. Peut-être.

– Et pourquoi pas? Tu ne vas quand même pas passer le jour de Noël toute seule?

– Oh! Je trouverai bien quelqu'un d'aussi seul que moi pour me tenir compagnie...

– Mais c'est ridicule! C'est si simple pour toi de venir!

Exaspérée tout à coup par l'insensibilité de Marylin, Eve se mit à enfiler ses bottes en s'efforçant malgré tout de sourire.

– Vail ne me paraît pas l'endroit rêvé pour passer de joyeuses vacances, répliqua-t-elle d'un ton léger. Depuis le temps, j'aurais dû oublier mes griefs, mais ça m'est impossible. Je ne verrais aucun mal à rester encore quatre ans sans revenir.

– Mais maman et papa seront très déçus, protesta Marylin. Et tante Miriam, et oncle Jim...

– Peut-être... Mais j'imagine qu'ils me comprendront.

– Tu es fâchée contre moi? demanda brusquement Marilyn. C'est ça la raison, non?

– Je ne suis fâchée ni contre toi ni contre personne. Encore une fois, je n'aime pas cet endroit et je n'ai pas envie de le revoir avant longtemps.

– Non! dit Marilyn en soupirant. Tu es furieuse à cause de ce que je t'ai dit l'autre jour. J'en suis sûre.

– Disons que j'ai été étonnée de découvrir tes sentiments. J'ignorais à quel point tu m'en voulais. Encore maintenant, je n'en vois pas très bien la raison. Je n'ai pourtant jamais rien fait d'extraordinaire!

– Ce qui n'empêche pas qu'on me rebatte les oreilles de ce que tu faisais à mon âge. Tu ne sais

pas ce que c'est d'avoir une grande sœur devant soi!
A l'école, on m'exhortait à suivre l'exemple de
l'élève merveilleuse que tu avais été. Même chose à
San Francisco : puisque tu réussissais si bien, je
devais en faire autant. Voilà pourquoi j'éprouve un
tel soulagement à finir mon année ici. Pour une fois
je peux être moi-même, sans comparaison possible!
C'est bien agréable d'avoir des professeurs qui ne te
connaissent même pas!

– Oh! ma chérie, je suis vraiment désolée de ce
que tu me dis, s'écria Eve, émue, en lui prenant la
main. Mais tous ces gens n'avaient sûrement pas de
mauvaises intentions. Ils l'ont fait sans réfléchir.

Marilyn hocha la tête. Soudain, son regard se mit
à briller.

– Je vais te prouver que j'ai eu raison de préférer
le ski à la danse. Bret prétend que je fais des
progrès tous les jours. Et tu vas voir : cet après-midi,
je vais gagner. Je crois que je suis meilleure que toi.
Tu ne m'en veux pas de te dire ça?

– Je ne demande que ça! répondit très sincèrement Eve. Au moins, tu éviteras peut-être l'accident!

– Bien sûr! je suis plus grande et plus forte que
toi.

– Ça n'a jamais empêché personne de tomber et
de se casser le cou. Sois prudente, je t'en prie.

– Je te le promets. Bret me répète toujours que je
dois, dès le départ, penser à terminer.

Eve sourit sans enthousiasme.

– Tu n'as pas peur?

– Non, pas tellement. Je peux battre toutes ces
filles sans difficulté. Il n'y en a qu'une qui m'inquiète. Elle est assez forte et...

Marilyn continua à parler de la course et Eve fit
semblant de l'écouter. De temps à autre elle hochait
la tête d'un air entendu, n'ayant saisi qu'un ou deux
mots au passage. Elle n'avait aucune envie d'assister
à cette compétition pour voir sa sœur descendre en

zigzag à une vitesse infernale. Ça lui rappellerait trop un autre samedi qu'elle essayait depuis quatre ans d'oublier. Mais elle avait promis d'y aller et une promesse est une promesse.

– ... Bret dit qu'il n'est pas d'accord avec cette technique, qu'en tout cas elle ne me convient pas. Je suis sûre qu'il a raison. Bret a toujours raison et je lui obéis en tout.

– Oui, bien sûr. On doit toujours écouter son entraîneur, approuva distraitement Eve.

– Il faut que j'y aille maintenant, reprit Marilyn. Je dois y être de bonne heure pour me dérouiller un peu avant. A tout à l'heure!

Elle s'en alla en riant, pleine d'assurance. Eve soupira. Trop de confiance en soi pouvait se révéler aussi dangereux que trop peu, et même plus. Il n'y avait plus qu'à espérer en Bret Chandler pour lui mettre un peu de plomb dans la cervelle puisqu'il était le seul que Marilyn acceptait d'écouter.

Vers 2 heures de l'après-midi, il commença à neiger. A en juger par la couleur du ciel, cela n'était pas près de cesser.

Craignant de ne pas trouver de place près de l'arrivée, Eve alla se garer derrière la boutique de sport. Elle laissa son sac dans la voiture, ferma la portière à clef et entra dans le magasin par-derrière. Elle trouva son oncle dans le bureau :

– Ta tante n'est pas plus haute que trois pommes, mais elle est capable de tenir tête à n'importe qui. Même moi, j'ai du mal à lui résister, dit-il en souriant. Voilà qu'elle s'est mis dans la tête de rester au magasin pendant que j'irai avec toi assister à la course.

– Mais elle a tellement envie d'y aller! Et si je restais à sa place? suggéra Eve, poussée par des motifs très personnels. Franchement, je le ferais avec plaisir.

Mais son oncle ne l'entendait pas de cette oreille.

– Il faut que tu sois présente. Marilyn serait très déçue de ne pas te voir. De toute façon, Miriam ne sera pas d'accord.

– Je suppose que tu as raison, dit Eve en soupirant.

– Evidemment! Attends-moi un instant, je vais la prévenir que nous partons.

Ils sortirent du village et montèrent vers la ligne d'arrivée de la course, au pied de *Vail Mountain*. Il faisait très froid et la neige tombait de plus en plus dru. Jim leva les yeux vers le ciel.

– J'ai bien l'impression que nous allons avoir une tempête! déclara-t-il joyeusement. Une belle tempête de neige, ça a toujours quelque chose de très excitant!

– J'aurais préféré que le temps ne se gâte qu'après la course, fit remarquer Eve, inquiète. Marilyn n'est pas très à l'aise dans la poudreuse.

– Là aussi elle a fait des progrès, tu verras. Et la couche n'est pas encore très épaisse.

– Espérons qu'elle ne courra pas la première et que d'autres lui auront tracé la piste...

Son oncle la regarda du coin de l'œil et secoua la tête.

– Je crois vraiment que tu devrais te marier, plaisanta-t-il. Avec un bébé, tu aurais tout loisir de te faire du souci...

– Je ne traite pas Marilyn comme un bébé, oncle Jim, se défendit-elle. Je m'inquiète un peu pour elle et je ne vois pas pourquoi tout le monde trouve ça si bizarre. Après tout, je n'ai qu'une sœur.

– Tu t'inquiètes beaucoup trop. Tu l'imagines toujours blessée. Tu oublies que toi, tu avais déjà mal au genou ce jour-là. Jamais Bret ne laisserait Marilyn courir dans ces conditions, comme l'a fait Hank.

Eve se tut. Déjà, une foule de curieux se massait derrière les barrières, de chaque côté de l'arrivée.

Ils parvinrent cependant à se glisser jusqu'au premier rang d'où ils avaient la meilleure vue sur tout ce qui n'était pas précisément ce qu'Eve souhaitait...

Quelqu'un la tira brusquement par une mèche de cheveux qui dépassait de son bonnet. Elle se retourna.

– Je commençais à croire que nous ne nous reverrions plus! s'exclama Gene Duncan. Je pensais même que vous étiez déjà repartie pour Denver. Très heureux de constater que ce n'est pas le cas.

– J'ai dû rester plus longtemps que prévu, expliqua-t-elle sans remarquer la façon dont son oncle examinait Gene. Je prends le car juste après la course.

– A votre place, je n'en serais pas si sûr. La météo est mauvaise et le car n'arrivera peut-être même pas jusqu'ici. Et si par hasard il arrive, les passagers seront sans doute obligés de passer la nuit à Vail.

– J'espère que vous vous trompez. Il faut absolument que je rentre.

– En quoi ton départ est-il si urgent? intervint Jim. Je préférerais que tu restes jusqu'à ce que le chasse-neige ait déblayé la route.

– Mais oncle Jim, je...

– Voilà qui me paraît raisonnable, dit gaiement Gene. Vous pourriez dîner avec moi demain et nous rentrerions par le même car mardi soir.

– Mardi! Mais je n'ai pas l'intention de rester si longtemps!

– Alors, tu ferais bien de le faire savoir à ces gros nuages gris! répliqua son oncle en échangeant un sourire avec Gene.

Eve leur tourna délibérément le dos, exaspérée par leurs petits airs complices. Pour comble, elle entendit son oncle donner son numéro de téléphone à Gene. Elle ne pouvait pas supporter qu'on dispose d'elle de cette manière et elle ne se gêna pas pour le dire à Jim dès qu'elle se retrouva seule avec lui. Gene était parti rejoindre ses amis, non sans avoir promis qu'il lui ferait signe le lendemain.

– Il ne t'est pas venu à l'esprit que je n'avais peut-être pas envie de dîner avec lui? Vraiment, oncle Jim, tu ne crois pas que tu aurais pu y penser?

D'un geste nonchalant, Jim écarta la remarque.

– Quel mal y a-t-il à passer une soirée avec ce garçon? Il a l'air gentil. Tu as besoin de sortir un peu. Je suis sûr que tu restes beaucoup trop chez toi.

– J'ai une vie mondaine bien remplie, si tu veux tout savoir, affirma Eve avec une certaine exagération. Et je préfère choisir moi-même mes amis. Enfin, merci quand même!

Nullement impressionné, Jim sourit et reporta son attention sur l'activité qui régnait maintenant en haut de la piste de slalom, près de la ligne de départ.

L'irritation d'Eve céda aussitôt le pas à la peur. L'estomac noué, persuadée qu'elle ne supporterait pas le spectacle de cette course, ce fut au prix d'un gros effort qu'elle résista à l'envie de faire demi-tour et de s'enfuir.

Beaucoup trop tôt à son goût, la première concurrente prit position, prête à foncer dès l'ouverture automatique de la grille de départ. Quand elle commença à franchir les portes, poussant sur ses bâtons pour augmenter sa vitesse, Eve retint son souffle, de plus en plus crispée à chaque tournant. Les deux premières skieuses se montrèrent très prudentes, sans doute à cause de la neige fraîche qu'elles soulevaient à chaque virage. La troisième, plus confiante sur la piste déjà balayée, réussit un bien meilleur temps.

C'est alors que Marilyn s'approcha de la ligne de départ. Eve serra les poings et se mit à transpirer tout à coup. Quand la barrière s'ouvrit, elle fit une rapide prière à voix basse. Marilyn filait à une vitesse vertigineuse et semblait descendre avec une extrême facilité. Elle accomplit, et de loin, la meilleure performance.

Malheureusement, ce n'était pas terminé. Il y avait deux épreuves et seule comptait la moyenne des deux. Eve ne pouvait pas encore se détendre. Elle avait pu constater néanmoins que sa sœur était une bien meilleure skieuse qu'elle ne l'avait imaginé. Mais était-elle assez bonne? La dernière concurrente arriva avec seulement un dixième de seconde de plus qu'elle; Marilyn avait donc une sérieuse rivale.

La deuxième fois, Marilyn descendit avec encore plus de rapidité et de souplesse que la première. Eve recommença à respirer. Sûre maintenant que sa sœur s'en était tirée indemne, elle se mit à espérer qu'elle serait la gagnante.

Elle n'en douta plus quand elle vit sa rivale rater le départ et perdre du temps. Jim poussa un cri de joie, mais au même moment, Eve retint sa respiration : la skieuse, voulant rattraper les secondes perdues, serra une porte de trop près. Elle tomba. Eve ferma les yeux. Elle revivait sa terreur passée et une atroce douleur lui tenaillait le genou. Son oncle l'entraîna vers le groupe qui entourait la gagnante. Mais Eve ne leur prêta aucune attention jusqu'à ce qu'elle ait pu constater que la concurrente malheureuse se relevait et s'époussetait.

– Est-ce qu'on ne t'avait pas dit qu'elle était formidable? s'exclama Jim en soulevant Marilyn de terre. On te l'avait dit, oui ou non?

– Oui, reconnut Eve, souriant enfin, maintenant qu'elle avait cessé de trembler. Elle a effectivement une excellente technique.

– Et j'aurais battu Lisa même si elle n'était pas tombée, se vanta Marilyn, abandonnant un de ses admirateurs pour sauter au cou de sa sœur. Je savais que je gagnerais, je le savais!

Eve hocha la tête.

– Tu avais raison de dire que tu étais meilleure que moi.

– Il est seulement dommage qu'elle n'ait pas un peu de votre modestie, intervint Bret Chandler qui venait de les rejoindre. Tu t'es bien débrouillée aujourd'hui, dit-il à l'adresse de sa protégée, mais n'oublie pas que cette compétition n'avait rien d'officiel. Ce ne sera pas toujours aussi facile.

– Trouble-fête! s'exclama Marilyn en faisant la moue.

Puis elle se mit à rire et se jeta dans ses bras.

Les sourcils froncés, Eve étudiait la réaction de Bret tandis que sa sœur restait serrée contre lui un peu plus longtemps que de raison.

Il souriait avec indulgence. Il lui ébouriffa les cheveux comme à une petite fille et se détacha de ses bras.

– Tes amis t'attendent pour célébrer ta victoire autour d'un pot de cidre; tu ferais bien de les rejoindre avant qu'ils ne s'impatientent, suggéra-t-il.

– Oh, j'avais presque oublié, s'écria Marilyn en prenant Eve par le bras. Ils ont aussi organisé une soirée pour moi au *Pinacle*. Tu dois absolument venir.

– Mais je prends le car de 4 heures, tu le sais bien.

– J'ai entendu dire que tous les cars arriveront avec cinq ou six heures de retard, intervint Bret. S'ils arrivent. Et de toute façon, ils n'iront pas plus loin.

– Alors, tu peux venir, insista joyeusement Marilyn sans remarquer que sa sœur n'avait pas l'air particulièrement enchanté à cette idée. Ce sera formidable, n'est-ce pas Bret?

– Ne comptez pas trop sur moi. J'avais l'intention de travailler, ce soir.

– Et sur moi non plus, s'empressa de dire Eve. Je

44

n'ai même pas une robe convenable pour une soirée pareille.

– Eh bien, tu en choisiras une à la boutique, déclara Jim, ignorant délibérément le coup d'œil de sa nièce. Il s'en trouvera bien une à ton goût.

– Tu vois, tu n'as plus aucune excuse pour refuser, se réjouit Marilyn.

Elle se tourna vers Bret et se fit suppliante :

– Je vous en prie, dites que vous viendrez aussi. Ce ne sera pas du tout pareil si vous n'êtes pas avec nous.

Il allait refuser à nouveau quand il croisa le regard d'Eve. Il resta les yeux fixés sur elle un moment et, souriant tout à coup, déclara :

– Bon, je tâcherai de faire un saut au moins un instant.

– Ce sera très amusant, je vous le promets! s'écria Marilyn avec enthousiasme.

Elle attrapa son oncle d'une main, Bret de l'autre, et les entraîna vers le café où on l'attendait, tout en pressant sa sœur de les accompagner.

De retour au chalet, une heure plus tard, Eve contemplait sa nouvelle robe bleu nuit. De toutes celles qu'elle avait trouvées au magasin, c'était la seule qui lui ait réellement fait envie. Les autres étaient trop voyantes, trop moulantes ou trop décolletées. Celle-ci, fendue sur le côté et avec une encolure en V, était déjà bien assez provocante. Marilyn avait fait la grimace et décrété qu'elle n'aurait aucun éclat sous les lumières de la piste de danse. Mais puisqu'elle ne danserait pas, cela n'avait guère d'importance.

Il était déjà 7 heures et demie et Eve était encore en train de chercher un prétexte pour échapper à cette soirée. A court d'idées, elle se résigna finalement à enfiler sa nouvelle robe. Celle-ci soulignait joliment ses courbes délicates et mettait en valeur ses longues jambes minces. Force lui était de reconnaître qu'elle était ravissante, et d'une discrétion exemplaire, comparée à sa sœur... qui, perchée sur des sandales de daim noir à très hauts talons, faisait virevolter dans tous les sens sa robe de soie retenue par de fines épaulettes.

– J'espère que tu vas mettre des bottes pour faire le trajet, dit Eve en enfilant les siennes.

Marilyn approuva de la tête, enleva ses sandales et examina sa sœur avec attention.

– Franchement, tu pourrais presque aller à l'église, avec une robe pareille! remarqua-t-elle en fronçant le nez.

Eve faillit lui répondre qu'elle aurait de loin préféré aller à l'église plutôt qu'à cette soirée, mais elle se retint pour ne pas se voir accusée de gâcher ce grand jour.

Marilyn devait être considérée comme une célébrité locale car elles ne payèrent pas leur entrée au *Pinacle*, la boîte de nuit à la mode de Vail. Eve aurait aimé que les amis de sa sœur choisissent un endroit plus tranquille. La gaieté qui y régnait lui semblait forcée.

A contrecœur, elle suivit sa sœur qui avançait dans la salle bondée, au milieu des plantes vertes, des glaces teintées et des meubles de rotin.

Installés à une table un peu en retrait, la plupart des amis de Marilyn étaient déjà arrivés. Mais la jeune fille n'eut même pas le temps de s'asseoir: elle fut aussitôt entraînée sur la piste de danse. Tous l'imitèrent et Eve se retrouva bientôt seule. Mais pas pour longtemps: Bret Chandler vint s'asseoir à côté d'elle.

– Ai-je raté quelque chose? demanda-t-il avec un sourire et un regard admiratif. La fête est commencée?

– Oh! oui. Ils sont par là... répondit Eve en montrant la piste du doigt. Si vous voulez les rejoindre...

– Je préfère rester avec vous. Cela ne vous ennuie pas?

– Non, non, pas du tout.

Son regard insistant, elle avait du mal à respirer. Elle détourna les yeux; il était beaucoup trop séduisant ce soir avec son pantalon noir moulant et son pull-over beige à col roulé.

– Au contraire, ajouta-t-elle. Je me sentais un peu seule.

– Pourtant, Marilyn prétend que vous êtes une solitaire, dit-il en souriant de son air étonné. Ce n'est pas vrai?

– Je ne sais pas, répondit-elle naïvement. J'ai de très bons amis mais je ne me sens pas perdue sans eux. Cela fait-il de moi une solitaire?

Bret secoua la tête.

– A mon avis, non. Cela signifie simplement que vous pouvez vous supporter vous-même, ce qui n'est pas un mal, étant donné qu'on se retrouve forcément seul de temps en temps. Vous êtes beaucoup moins pâle qu'après la course, ajouta-t-il brusquement en lui caressant la joue. J'ai bien cru que vous alliez vous évanouir quand la dernière concurrente est tombée.

Eve s'écarta un peu pour échapper à son contact troublant et lui sourit.

– Je suis bien heureuse qu'elle s'en soit sortie indemne.

– Moi aussi, même si elle est appelée à donner du fil à retordre à votre sœur.

– Tant mieux. Peut-être Marilyn cessera-t-elle de penser que tout lui sera toujours aussi facile.

– Je vois que vous ne désarmez pas. Pourquoi êtes-vous tellement persuadée qu'elle va droit à la catastrophe?

– Je n'en suis nullement persuadée mais je préférerais qu'elle n'en prenne pas le risque.

– Mais vous-même, n'auriez-vous pas pris ce risque, si on vous y avait autorisée après votre accident?

– Oh! non, pas pour un empire! D'ailleurs rien ne m'interdit de descendre de temps en temps une piste de débutants.

– Mais vous n'avez pas essayé?

– Et je n'ai pas l'intention de le faire. Pourquoi tenter le diable? Il faut croire que je n'aime pas assez le ski pour ça.

– Cela a pourtant son charme, même sur les petites pentes.

– Je me contente de la natation, maintenant, dit-elle en rougissant légèrement sous ce regard qui la déshabillait.

On aurait dit qu'il essayait de l'imaginer en maillot de bain... D'habitude pourtant, ce genre de regard masculin ne l'intimidait pas, mais cette fois, c'était différent. Comme il fixait sa bouche, elle se mordit la lèvre.

– D'une certaine manière, dit-il doucement, vous paraissez encore plus jeune que votre sœur. Vous avez quelque chose de plus vulnérable...

Il repoussa délicatement une mèche derrière son oreille et du bout des doigts lui effleura la nuque. Eve toussota nerveusement.

– Marilyn m'a raconté que vous étiez écrivain, dit-elle tout à coup. Vous collaborez à des journaux?

– Surtout à des magazines...

– Oh! Bret, quelle surprise! s'écria Liz, qui venait d'apparaître brusquement. Je croyais que vous n'aimiez pas cet endroit? Que faites-vous ici ce soir? demanda-t-elle, en posant un bras nu sur son épaule.

– Je ne vous présente pas Eve, n'est-ce pas? Elle est passée à la maison l'autre jour quand vous étiez là.

– Oui, oui, je m'en souviens, répliqua Liz en

lançant à Eve un regard noir. J'ai bien l'intention de revenir quand je pourrai rester plus longtemps.

Elle s'assit à côté de Bret. Eve se leva.

– Excusez-moi... Je reviens tout de suite...

C'était le moment ou jamais d'aller se remettre un peu de rouge à lèvres. Rester là à regarder Liz faire du charme à Bret était au-dessus de ses forces.

On se pressait devant le miroir des toilettes. Eve s'en approcha difficilement, rafraîchit son maquillage, se recoiffa avec beaucoup de soin, prenant tout son temps, peu désireuse de se retrouver face à Liz. Quand elle estima que son absence avait assez duré, elle resserra sa ceinture, rangea son sac et sortit enfin. Quelqu'un, qu'elle n'avait pas remarqué, l'apostropha :

– Cela fait une éternité, Eve!

Elle poussa un petit cri en reconnaissant Hank Verdell. Son regard la mit hors d'elle. Elle serra les dents et lança :

– Ça n'est pas encore assez!

4

– Allons! Ne sois pas comme ça! dit Hank, parfaitement désinvolte.

Il la prit par le bras et l'entraîna un peu plus loin.

– Après quatre longues années, tu dois être quand même assez contente de me revoir, mon ange.

– Vraiment! s'exclama-t-elle, furieuse. Comment peux-tu être assez idiot et assez prétentieux pour penser que j'aurais jamais envie de te revoir?

N'en croyant pas un mot, il hocha la tête, la

regarda avec insistance et se mit à lui caresser le bras.

— Tu sais quoi? Tu es encore plus jolie que la dernière fois que je t'ai vue.

— Très curieux, en effet! La dernière fois que tu m'as vue, j'étais sur une civière! Je ne pouvais pas être plus en beauté!

— Je ne pensais pas à ça, murmura-t-il, l'air faussement navré. J'avais vraiment l'intention de venir te voir à l'hôpital, mais...

— Mais, acheva-t-elle en le fusillant du regard, tu avais beaucoup mieux à faire! Tu étais beaucoup trop occupé à faire la cour à une autre naïve petite sotte. Combien de temps t'a-t-il fallu pour te faire payer tes services? Comme instructeur de ski, naturellement?

Indifférent à ses sarcasmes, il souriait avec une suffisance insupportable.

— C'est donc ça! Tu es jalouse! Que dirais-tu alors si je te racontais qu'Elinor et moi nous avons vécu ensemble près d'un an?

— Oh! mais j'en suis verte d'envie! répliqua-t-elle en lui arrachant son bras. Et comment t'es-tu débrouillé pour la semer en route?

Hank haussa les épaules avec insouciance.

— Nous étions fatigués l'un de l'autre. Nous nous sommes séparés, tout simplement. Que fais-tu demain? On pourrait passer la journée ensemble et refaire connaissance.

— Tu as perdu la tête ou quoi? s'exclama Eve en lui tapant sur les doigts alors qu'il essayait à nouveau de la toucher. Tu as peut-être oublié que, grâce à toi, je ne peux plus faire de ski?

— Une minute, s'il te plaît! Tu étais d'accord pour faire cette course. Ce n'est pas moi qui t'ai poussée sur la piste.

— Ne me prends pas pour... l'imbécile que je ne suis pas. Jusqu'à l'heure du déjeuner, ce jour-là, je n'étais pas du tout sûre de pouvoir courir. Mais après les deux tasses de café que tu es aimablement allé me chercher, mon genou a cessé de me faire souffrir. Tout à coup, j'ai eu l'impression d'être la meilleure skieuse du monde. Je me suis senti des ailes... Quelle dose d'amphétamines avais-tu versée dans ce café?

– Ne sois pas ridicule! chuchota-t-il en regardant nerveusement autour de lui. Ce n'était pas des amphétamines. Juste quelques tablettes de caféine, crois-moi.

Eve leva les yeux au ciel en soupirant.

– Décidément, tu me prends pour une faible d'esprit. Seules des amphétamines pouvaient me remettre debout et me pousser à chausser des skis Tu ferais mieux de disparaître de la circulation. Et puis, après tout, fais ce que tu veux, pourvu que je ne te voie plus.

Elle lui tourna le dos, mais il la rattrapa brusquement par le bras.

– On ne me la fait pas! dit-il en l'enlaçant. Tu ne serais pas aussi folle de rage si tu n'éprouvais plus rien pour moi. Tu ne te rappelles pas comme tu aimais mes baisers?

– Je ne suis plus si bête aujourd'hui! riposta Eve en se débattant. Laisse-moi partir, Hank, sinon...

Elle n'alla pas plus loin, réduite au silence par un baiser destiné à lui rafraîchir la mémoire mais qui n'eut d'autre effet que de lui soulever le cœur.

– Laisse-moi partir ou je t'arrache les yeux! s'écria-t-elle, joignant le geste à la parole.

Manifestement convaincu cette fois, Hank lâcha prise et la toisa avec mépris.

– Tu me déçois de plus en plus, Eve. Il y a quatre ans, tu étais déjà une petite puritaine stupide et maintenant te voilà devenue une vraie bonne sœur.

– Dans ces conditions, je suis tranquille. Tu ne t'attaqueras plus à moi.

– Pas ce soir en tout cas, dit Bret qui, surgi

brusquement, posa les mains sur les épaules d'Eve. Ce monsieur vient de se souvenir qu'il a un rendez-vous ailleurs. Je ne me trompe pas?

– Bien sûr. Je vous la laisse, murmura Hank, en haussant les épaules et en feignant l'indifférence.

Cependant, il avait légèrement rougi. Tout en s'éloignant d'un air dégagé, il lança à Bret :

– N'espérez pas prendre du bon temps avec elle, à moins que vous n'ayez du goût pour les glaçons!

Eve avait envie de crier, mais Bret se mit à lui masser doucement les épaules et, petit à petit, elle se détendit. Elle poussa un profond soupir et tenta de sourire.

– C'est mon ancien entraîneur, celui qui m'a poussée à courir avec un genou abîmé.

Les traits de Bret se durcirent et il suivit Hank du regard.

– Ah! c'est lui! Mais comment vous êtes-vous laissé convaincre de faire une chose pareille? Vous deviez bien savoir ce qui allait vous arriver, non?

Eve baissa la tête et ses cheveux lui tombèrent sur le visage.

– Avant d'avoir pu lui annoncer que je renonçais, il m'avait déjà persuadée que tout irait bien. Et comme mon genou ne me faisait plus mal... C'est bien plus tard que j'ai compris qu'il avait mis des amphétamines dans mon café.

Bret jura à mi-voix. Eve leva les yeux vers lui en souriant. Alors, doucement, il lui écarta les cheveux de la figure.

– C'est ma faute aussi, en partie, reprit-elle. Il m'a fallu du temps pour comprendre à quelle espèce de goujat j'avais affaire.

– Il est parfois difficile de juger lucidement un amant.

– Un amant? Mais vous vous trompez complètement! s'écria-t-elle avec véhémence. Je suis peut-être idiote, mais pas totalement folle.

— Alors, son baiser, à l'instant, vous a laissée indifférente?

— Indifférente n'est pas le mot, fit-elle avec une grimace comique. J'aurais préféré me faire embrasser par un chien enragé!

— Vous n'exagérez pas un peu? demanda Bret en riant.

— Peut-être, reconnut-elle, en riant aussi.

Redevenu brusquement sérieux, Bret l'examina, les yeux mi-clos. Il lui passa un bras autour de la taille, lui prit tendrement le menton. Elle entrouvrit les lèvres sous sa caresse.

— Vous ne me faites pas tellement l'effet d'un glaçon, dit-il en l'attirant plus près et en effleurant sa bouche d'un léger baiser. Qu'en pensez-vous?

— Je... je ne sais pas, murmura-t-elle.

Elle ferma les yeux. Le contact trop bref de ses lèvres l'avait émue de façon tout à fait inattendue. Il la relâcha brusquement alors qu'elle posait les mains sur sa poitrine dure et musclée.

— Non, décidément vous n'êtes pas un glaçon, chuchota-t-il en lui prenant la main. Si nous allions plutôt chez *O'Reilly*? Nous y serons plus tranquilles.

— Mais Marilyn...

— Elle n'a pas arrêté un instant de danser. Nous ne lui manquerons certainement pas, affirma-t-il avec un sourire plein de tendresse.

» D'ailleurs, elle sait bien que vous êtes venue à contrecœur et que, de mon côté, je n'avais pas l'intention de rester longtemps. Elle ne sera pas étonnée de ne plus nous voir.

Eve avait très envie d'accepter mais elle avait peur de faire de la peine à sa sœur. Après tout, Marilyn tenait-elle vraiment à Bret? Elle ne s'était même pas arrêtée de danser pour venir lui parler...

— D'accord, fit-elle enfin avec un sourire timide. Je crois que je préfère *O'Reilly*, moi aussi.

– Attendez-moi une seconde. Je vais prévenir que je vous raccompagne, pour le cas où il prendrait à Marilyn l'idée de nous chercher.

Il revint peu après avec sa canadienne et le manteau d'Eve.

Dehors, le vent était cinglant et des flocons glacés venaient leur coller au visage. Eve avait toujours aimé se promener sous la neige, mais, malgré tout, elle ne fut pas fâchée de se retrouver à l'abri dans la jeep de Bret.

O'Reilly se trouvait être une maison de trois étages, spécialement aménagée en bar, avec des salons confortables, meublés de profonds canapés de cuir et de tables en bois précieux. L'atmosphère paisible et détendue changeait agréablement de l'agitation frénétique du *Pinacle*.

Par bonheur, Bret et Eve trouvèrent encore un petit coin inoccupé devant une cheminée où flambait un bon feu et où ils pourraient savourer en toute intimité le punch au lait chaud qu'ils avaient commandé.

Après le baiser qu'ils avaient échangé au *Pinacle*, Eve s'attendait plus ou moins à se sentir mal à l'aise toute la soirée. Mais elle se détendit bien vite. La conversation s'engagea aisément, au point qu'elle en vint même à parler ski sans réticence.

– J'espère que vous êtes moins inquiète pour Marilyn, maintenant que vous l'avez vue à l'œuvre, dit Bret en lui prenant la main et en la caressant. J'espère que vous reconnaissez qu'elle se débrouille bien.

– Oui... Elle va à une vitesse folle et elle négocie très bien ses virages, admit Eve qui essayait vainement de lutter contre les sensations qu'éveillaient en elle de telles caresses. Je ne m'étais jamais rendu compte à quel point elle était douée.

– Alors, votre voyage n'aura pas été inutile si, finalement, vous approuvez sa décision.

Eve sourit tristement.

– Disons que je m'y résigne. Je ne crois pas que j'irais jusqu'à assister encore à une course.

– Peut-être auriez-vous moins peur si vous acceptiez de vous y remettre vous-même? Ne serait-ce que sur une piste pour débutants?

Pour toute réponse, Eve secoua la tête en frissonnant. Bret la prit par les épaules, l'attira à lui et elle se laissa aller sur sa poitrine.

– Je suis désolé, dit-il. Je ne voulais pas vous rendre malheureuse. Si nous parlions d'autre chose?

Eve s'empressa de sauter sur l'occasion.

– Depuis quand vivez-vous ici? Où êtes-vous né? Il y a longtemps que vous écrivez? Quel genre d'articles?

Il se mit à rire.

– On dirait que vous avez quelques questions en réserve!

Elle s'écarta un peu et lui sourit.

– Il est temps que j'en sache un peu plus sur vous puisque vous n'ignorez rien de moi!

– C'est faux, protesta-t-il doucement en laissant errer son regard sur sa bouche. J'ignore le principal...

Leur conversation prenait soudain un tour trop intime à son goût. Eve jugea préférable de mettre les choses au point. Elle se redressa.

– Il vaut mieux que je vous dise tout de suite... que je n'ai pas l'habitude de me laisser entraîner dans des aventures sans lendemain, ni même dans des aventures plus sérieuses, dit-elle en toute candeur, en évitant son regard. Je... je ne m'y sentirais pas à l'aise... Cela peut paraître vieux jeu, mais comme je ne peux pas me changer, je tiens à vous prévenir au cas... au cas où...

– Au cas où je me ferais des illusions... acheva-t-il en lui prenant le menton. Je n'essaierai pas de vous persuader que cela ne m'est pas venu à l'esprit. Mais l'idée n'a fait que m'effleurer...

– Alors vous avez compris que je... que je ne...

– Que vous ne termineriez pas cette charmante soirée en passant la nuit avec moi? C'est bien ce que vous vouliez me dire? Je l'avais compris et j'avoue que c'est plutôt pour moi comme une bouffée d'air frais...

– Vous ne trouvez pas ça d'un ennui mortel? insista-t-elle avec un sourire gêné. Vous n'allez pas rentrer chez vous en jurant que c'est bien la dernière fois que vous perdez votre temps avec une bonne sœur? D'après Hank, c'est ce que je suis.

– Quant à ce qu'il est, lui, je préfère ne pas en parler!

– Oh mais si! allez-y! Vous lui trouverez peut-être un qualificatif auquel je n'ai pas encore pensé! Mais nous voilà revenus à notre point de départ. Si vous répondiez à mes questions plutôt?

– Très bien. J'habite ici depuis trois ans. Je suis né dans l'Idaho et j'écris sur toutes sortes de sujets. Maintenant que vous possédez ces renseignements essentiels, vous savez tout de moi.

– Certainement pas. Pourquoi avez-vous décidé de vous installer à Vail? Qu'écrivez-vous exactement?

– Je n'ai aucune raison extraordinaire à vous donner pour expliquer ma présence ici. Je ne suis malheureusement ni un espion poursuivi par des agents étrangers ni rien d'aussi excitant. Tout simplement j'aime la neige, l'air pur et les peupliers qui jaunissent en automne. C'est pourquoi j'écris parfois des articles sur notre environnement ou sur le ski, pour des magazines spécialisés. Je fais aussi des chroniques sur la vie culturelle à Aspen. Et puis, deux ou trois fois par an, j'écris une histoire d'un intérêt humain plus général, ce qui m'amène souvent à rencontrer des personnages peu ordinaires.

Bret se mit à raconter à Eve quelques-unes de ces histoires. Passionnée par ses récits, elle ne vit pas le temps passer et fut stupéfaite quand il lui annonça qu'il était déjà 1 heure du matin.

Elle pensa aussitôt à Marilyn. Elle serait absolument furieuse si elle était rentrée la première. Que Bret raccompagne Eve à la maison était déjà un motif suffisant d'irritation.

La route était très enneigée maintenant et même verglacée par endroits. Mais la jeep de Bret se jouait de ces difficultés et ils rentrèrent lentement mais sans encombre. Par bonheur, en arrivant, ils ne virent pas trace de la voiture de Marilyn.

– Ça m'ennuie beaucoup que vous ayez un pareil chemin à faire jusque chez vous, déclara Eve, inquiète. Peut-être vaudrait-il mieux que vous passiez la nuit ici?

– Vous me provoquez! plaisanta-t-il en s'approchant d'elle et en lui enlevant son bonnet. Mais j'imagine que ce n'était pas votre intention.

Et si elle avait répondu oui? Cette idée absurde lui traversa l'esprit et s'envola aussi vite qu'elle était venue.

– Je voulais seulement dire que vous pourriez dormir dans la chambre d'amis...

– Je sais, murmura-t-il en la prenant par la main et en l'entraînant loin de la lumière du portail. Mais vous avez une telle manière de me regarder quand je vous fais enrager... que je ne peux pas résister.

– Oh! murmura-t-elle stupidement quand il se mit à lui déboutonner son manteau en dépit du vent glacial qui soufflait.

Le cœur battant, elle le regarda ouvrir également le sien.

– Mais, je...

– C'est l'un des grands inconvénients de l'hiver... tous ces bon Dieu de vêtements que nous devons porter, dit-il doucement en la prenant par la taille et en l'attirant contre lui. Mais si je vous embrasse, je veux pouvoir en profiter pleinement.

– Vous allez...? chuchota-t-elle enfin après un long silence.

– Je vais quoi?

Les mains sur la poitrine de Bret, elle se pencha un peu en arrière et le dévisagea.

– Vous allez m'embrasser?

– Le voulez-vous?

– Je... Eh bien... je... je ne sais pas...

– Mais si, vous savez. Pourquoi avoir peur d'avouer ce que vous ressentez?

– Mais je...

– Détendez-vous, Eve, fit-il gentiment en l'embrassant sur la joue. Vous n'êtes pas obligée de le dire, si vous ne voulez pas.

Le contact de ses lèvres la fit frissonner. D'un geste spontané, elle lui passa les bras autour du cou. Il lui sembla que sa bouche mettait une éternité à atteindre le coin de ses lèvres. Elle n'y resta qu'un bref instant, la faisant brusquement tressaillir tout entière.

Mais il se mit soudain à l'embrasser avec une ardeur et une impatience auxquelles elle n'aurait pu résister, même si elle l'avait voulu. Et elle ne le voulait pas... Elle entrouvrit les lèvres et, agrippée à ses cheveux, elle se serra plus fort contre Bret. Celui-ci était passé de nouveau de la fougue à la douceur et jouait délicatement avec sa bouche. Tendue, Eve attendait et ressentait presque douloureusement dans tout son être la violence qui couvait sous la tendresse.

La tenant serrée par la taille, Bret se mit à lui caresser le cou de ses lèvres et, comme Eve commençait à trembler, il l'embrassa encore, mais cette fois avec toute la passion qu'elle espérait de lui.

Envahie par la chaleur de son corps et l'odeur épicée de son eau de toilette, éperdue, Eve sentait que chacune des fibres de son être répondait aux mains de Bret, à sa bouche et à ses caresses. Elle n'avait jamais rien éprouvé de tel et l'émoi enfantin qu'elle avait ressenti dans les bras de Hank n'était en rien comparable au tumulte qui l'agitait en cet instant.

Mais son émotion même et le désir qui éclatait chez Bret la rappelèrent au bon sens.

– Bret, je vous en prie! Arrêtez! gémit-elle en tentant d'échapper à ces lèvres qui se promenaient si tendrement de sa joue à sa bouche.

Il la relâcha un peu, respira profondément et appuya son front contre celui d'Eve.

– Il ne fait plus du tout froid, ici, murmura-t-il en souriant tendrement. Vous ne trouvez pas?

– C'est vrai, reconnut-elle tandis qu'il lui écartait les cheveux du visage. Il fait même une douce chaleur...

– Et votre idiot d'entraîneur qui prétend que vous êtes un glaçon! Apparemment, il ne vous connaît pas du tout!

– Et vous? Vous me connaissez?

– Beaucoup mieux que tout à l'heure, en tout cas. Sous cet extérieur calme, j'ai découvert un monde d'émotions...

– Et c'est pour ça que vous m'avez embrassée? demanda-t-elle en le regardant d'un œil soupçonneux. Pour savoir si j'étais aussi froide que j'en avais l'air?

– Je ne vous ai jamais trouvé l'air froid. Et si je vous ai embrassée, c'est parce que j'en avais envie. Et j'en ai toujours envie.

– C'est vrai? murmura-t-elle, le souffle court.

Le cœur battant, elle vit briller une nouvelle lueur de désir dans son regard. Elle ferma les yeux, entrouvrit les lèvres, et Bret s'empressa de répondre à cette invitation. Il glissa la main dans ses cheveux soyeux et posa sa bouche sur la sienne avec une telle tendresse qu'elle s'abandonna à lui entièrement... Après quelques instants de passion intense, pendant lesquels ils furent complètement perdus l'un dans l'autre, Bret l'écarta de lui.

– Il faut que je m'en aille, dit-il d'une voix rauque en la lâchant à regret. Il se fait tard...

Elle hocha la tête silencieusement et se mit à fouiller dans son sac à la recherche de sa clef. Il la lui prit des mains et lui ouvrit la porte. Ne sachant que dire, elle lui sourit timidement.

– Je dois m'en aller, répéta-t-il, en lui caressant la joue. Bonne nuit, Eve.

– Bonne nuit, chuchota-t-elle.

Après avoir refermé la porte derrière elle, elle s'appuya contre le mur et poussa un profond soupir. Les yeux fermés, elle écouta la jeep s'éloigner.

Elle n'arrivait pas à détacher ses pensées de ce qu'elle venait de ressentir dans les bras de Bret, honteuse de l'ardeur avec laquelle elle avait accueilli ses caresses.

Enfin, elle se décida à se débarrasser de son manteau, et monta dans sa chambre. Qu'est-ce que Bret Chandler avait donc de si différent pour qu'elle se soit laissé aller ainsi avec lui? Etait-ce parce qu'elle l'avait trouvé beaucoup plus gentil et plus intelligent qu'elle ne l'avait imaginé? Non, cela ne suffisait pas à expliquer qu'elle ait eu tellement envie de se faire embrasser par lui.

Encore sous le choc, elle se déshabilla et enfila sa chemise de nuit. Assise devant la coiffeuse et se brossant les cheveux, elle se rendit compte tout à coup qu'il était très tard. Où pouvait donc se trouver Marilyn à 2 heures du matin? De toute façon, il était heureux qu'elle ne l'ait pas vue rentrer, surtout si elle se croyait toujours amoureuse de Bret...

Eve se prit la tête dans les mains. Comment avait-elle pu s'engager dans une telle aventure avec quelqu'un dont sa sœur estimait qu'il était sa propriété privée? Elle avait toujours pensé qu'une chose pareille ne pouvait pas lui arriver et que jamais un homme ne pourrait les séparer. Mais elle prenait conscience maintenant qu'il n'est pas toujours facile d'être maître de ses sentiments. Ni ceux de sa sœur ni les siens ne pouvaient se trouver balayés d'un coup de baguette magique. Il ne lui restait qu'une seule solution : repartir pour Denver au plus vite et mettre la plus grande distance possible entre elle et Bret. Ainsi, Marilyn l'aurait tout à elle...

Avec une sourde exclamation, Eve se leva d'un bond, alla tirer les couvertures de son lit et se coucha avec une violence qui ne lui était pas coutumière. Pourquoi l'idée que Bret pourrait s'attacher à sa sœur la mettait-elle dans un état pareil? Elle le connaissait à peine. Il ne pouvait pas compter à ce point-là pour elle!

La course, sa rencontre avec Hank, tout cela l'avait sans doute rendue particulièrement vulnérable à la tendresse de Bret qui, après tout, était un homme fort séduisant. Dès qu'elle serait rentrée chez elle et qu'elle aurait repris son train-train habituel, elle ne tarderait pas à l'oublier...

Elle venait enfin de s'endormir, quand la porte s'ouvrit brutalement et la pièce s'inonda de lumière.

Appuyé sur un coude, Eve regarda Marilyn traverser la chambre en trombe et lancer ses chaussures à grand bruit dans le placard.

– Mais qu'est-ce qui t'arrive? demanda Eve encore à moitié endormie. Tu ne t'es pas bien amusée, ce soir?

– Qu'est-ce que ça peut te faire? rétorqua Marilyn qui, d'un coup de pied envoya sa robe rejoindre ses souliers.

Eve se redressa tout à fait.

– Bon! Vas-y! Dis-moi ce que tu as sur le cœur.

– Comme si tu ne le savais pas! gronda Marilyn en fusillant sa sœur du regard.

– Si je le savais, je ne te le demanderais pas. Alors? De quoi s'agit-il?

– Si tu me racontais plutôt ce que tu as fait, toi?

– De grâce, du calme!

– Et ne me dis pas ce que j'ai à faire! cria Marilyn, le visage en feu. Inutile de me donner des ordres à tout bout de champ. J'ai dix-sept ans maintenant.

– Alors, essaye de te conduire en conséquence, répondit sèchement Eve. Commence par baisser le ton si tu ne veux pas réveiller oncle Jim et tante Miriam.

– J'imagine aisément que tu préfères qu'ils n'entendent pas!

– Comment veux-tu que je le sache, puisque je ne sais pas de quoi tu parles?

– Allons donc! Tu le sais très bien. C'est toi qui ne veux pas me dire ce que tu as fait avec Bret après le *Pinacle*. Pourquoi? Tu es allée chez lui?

Exaspérée, Eve soupira.

– Comment sais-tu qu'il ne m'a pas ramenée directement ici? demanda-t-elle à tout hasard. Qu'est-ce qui te fait penser que nous sommes allés ailleurs?

– Tu n'es pas là depuis longtemps, je sais au moins ça! Les traces de pneus ne sont même pas encore recouvertes de neige!

L'ironie du sort voulait que, justement ce soir, Marilyn développe un talent d'observatrice!

– Oh, c'est bon! Nous sommes allés passer un moment chez *O'Reilly*. Satisfaite?

– Pas le moins du monde. Et qu'avez-vous fait?

– Ce que font généralement les gens qui vont dans un bar tranquille : nous avons pris un verre et bavardé.

– Mais je t'ai dit que je ne voulais pas que tu lui parles de moi! s'exclama Marilyn furieuse. Tu n'as pas le droit de t'immiscer dans mes affaires!

– Aussi extraordinaire que cela puisse te paraître, je suis capable de parler d'autre chose que de toi.

En fait, c'est à peine si nous avons prononcé ton nom.

Légèrement déconcertée, Marilyn la regarda un moment sans rien dire. Prise d'un soupçon, elle demanda enfin :

— Il te plaît, non? Tu le trouves beau et séduisant et tu es jalouse du temps que je passe avec lui? Voilà pourquoi tu l'as convaincu de quitter le *Pinacle* avec toi?

— Tu es ridicule!

— Vraiment? Alors pourquoi l'as-tu enlevé? J'aime mieux te dire que tu m'as gâché toute ma soirée!

— Je ne l'ai pas enlevé! protesta Eve avec véhémence. Nous en avions tout simplement assez d'être là, dans ce bruit, alors que tu ne faisais même pas attention à nous.

— Il aurait attendu que je m'arrête de danser si tu ne l'avais pas entraîné ailleurs.

— Au nom du Ciel! Marilyn, essaie de voir les choses en face. Bret n'a plus l'âge de rester assis dans un coin à t'attendre toute la nuit! Si tu es tellement amoureuse de lui, pourquoi n'es-tu pas venue au moins lui parler quand il est arrivé?

— Parce qu'il n'aime pas beaucoup danser; et j'étais si excitée après la course que j'avais besoin de m'agiter, marmonna-t-elle sur la défensive.

— Bon. Mais alors ne fais pas tout ce scandale parce qu'il n'a pas voulu attendre que tu aies une minute à lui consacrer.

— Mais pourquoi ne le laisses-tu pas tranquille comme je te l'ai demandé?

— Tu fais une montagne d'une taupinière. Nous sommes allés prendre un verre, nous avons bavardé et nous sommes rentrés, voilà tout.

— Il est entré ici avec toi? Est-ce qu'oncle Jim et tante Miriam étaient encore debout?

Eve baissa les yeux et tripota nerveusement la bordure de satin de sa couverture.

– Non, ils étaient déjà couchés et Bret n'est pas entré. Nous nous sommes seulement souhaité une bonne nuit.

– Il t'a embrassée, n'est-ce pas? s'exclama Marilyn en éclatant en sanglots. Mais pourquoi diable n'es-tu pas restée à distance? C'est affreux de l'avoir laissé faire alors que tu sais ce qu'il représente pour moi.

– Ma chérie, ne pleure pas, je t'en prie, supplia Eve en se précipitant hors du lit pour la consoler. Ecoute-moi. Tu n'as aucune raison de t'inquiéter. Il m'a embrassée, mais cela ne signifie rien. D'ailleurs, dès que la route redeviendra praticable, je m'en irai et Bret ne se souviendra même plus de moi. Je ne serai qu'une fille parmi toutes celles qu'il aura embrassées. C'est sans aucune importance.

– Je serai contente quand tu seras partie, murmura Marilyn sans se rendre compte combien ses paroles étaient cruelles. J'ai cessé d'être heureuse depuis que tu es là.

– C'est bien ce qui m'a semblé, souligna tristement Eve en retournant se coucher. Comme je te l'ai dit, dès que cela sera possible je m'en irai. Mais je voudrais que tu comprennes que tu t'inquiètes pour rien.

– J'ai rencontré Hank, ce soir, annonça brusquement Marilyn. Il prétend que Bret a fait toute une histoire en vous trouvant tous les deux ensemble. Il m'a même demandé si Bret était ton mari, ton fiancé ou quelque chose de ce genre. Explique-moi un peu quel sens aurait eu la réaction de Bret si tu ne comptais pas du tout pour lui?

– Oh! Hank est un imbécile, répondit Eve avec dégoût. Il a eu le culot d'essayer de m'embrasser. Bret m'a trouvée en train de me débattre et a prié Hank de me laisser en paix, voilà tout.

– C'est vrai? insista Marilyn entre deux sanglots. Tu es sûre que c'est la vérité vraie?

– Je n'ai pas l'habitude de mentir, rétorqua Eve

avec irritation. Et maintenant, couche-toi et oublie toutes ces bêtises.

Après un moment de silence, Marilyn alla sortir son pyjama d'un tiroir.

– C'est que Bret est tellement différent de tous les garçons que je connais! murmura-t-elle en reniflant. C'est un vrai homme et... oh! je ne sais pas! attirant et tout. Je voudrais tellement qu'il tombe amoureux de moi! Et tu es si jolie...

– Pas plus que toi, riposta Eve, la tête enfouie dans son oreiller. Et n'oublie pas que tu as un gros avantage sur moi : aucun vrai amateur de ski ne voudrait d'une fille avec un genou en capilotade.

– Mais ça pourrait lui...

– Bonne nuit, Marilyn, dit fermement Eve, en mettant un terme, au moins provisoire, à leur conversation.

La matinée du dimanche fut tendue. Tout le monde était à la maison. De toute évidence sa tante et son oncle avaient entendu Eve se disputer avec Marilyn la nuit précédente mais Eve ne céda pas à leurs regards interrogateurs. Tout cela était si, si bête... trop bête pour être raconté. De toute façon, tout était confus dans son esprit. Elle avait beau se sentir de trop, elle avait tout à coup beaucoup moins envie de s'en aller. Elle avait cependant assez de bon sens pour comprendre que son départ était la solution à tous leurs problèmes.

Heureusement Marilyn partit faire du ski après le déjeuner. Eve put se reposer tout l'après-midi. Sa sœur rentra en sifflotant et se mit à aller et venir dans la chambre.

– J'ai des projets très excitants pour ce soir, annonça-t-elle, l'air important. Il faut que je trouve quelque chose de particulièrement bien à me mettre.

– Et ta robe de velours bleu marine? suggéra Eve levant le nez de son livre. Elle te va très bien.

– Non, elle n'est pas assez sophistiquée. Il me faut quelque chose de vraiment sexy.

– Seigneur! Tu veux faire impression, si je comprends bien, plaisanta Eve. Et quel est l'heureux homme avec qui tu as rendez-vous?

Marilyn la regarda droit dans les yeux.

– Bret, bien sûr. Qui veux-tu que ce soit?

Le sourire d'Eve s'effaça lentement.

– Où allez-vous dîner? demanda-t-elle, fâchée d'entendre sa voix trembler. Et pourquoi est-ce si exceptionnel?

– A vrai dire, je n'en sais rien, répondit sa sœur en gloussant plutôt bêtement. Tout ce que je sais, c'est que je l'ai rencontré sur la piste noire cet après-midi et qu'il m'a invitée à dîner. Il prétend qu'il a quelque chose de très important à me dire... quelque chose de personnel.

– Que de mystères! murmura Eve en se plongeant la tête dans son livre.

Mais elle contemplait les pages en aveugle et, dès que Marilyn eut disparu dans la salle de bains, elle s'appuya contre le dossier de son fauteuil et respira profondément.

Pourquoi diable Bret l'avait-il embrassée la veille? Peut-être était-elle encore plus naïve que sa sœur? Peut-être aurait-elle dû comprendre qu'il ne l'avait embrassée que parce qu'elle lui rappelait Marilyn, laquelle l'avait délaissé pour la danse?

« Oh, et puis zut! » murmura-t-elle. Peut-être y avait-il quelque chose chez elle qui incitait les hommes à l'exploiter? Hank l'avait utilisée pour gagner de l'argent et éventuellement se forger une petite gloire personnelle. Et maintenant Bret trouvait auprès d'elle une compensation au désir qu'il avait de Marilyn. Tout cela ne lui arrivait d'ailleurs qu'à Vail. Ah! Comme il lui tardait maintenant de partir!

Quand Bret vint chercher Marilyn, Eve trouva une excuse pour ne pas quitter sa chambre. Allongée sur son lit elle fixait le plafond; cette tempête de neige aurait bien pu attendre un jour de plus avant de commencer! Elle serait déjà chez elle en train de se reposer au coin du feu, satisfaite de son existence, au lieu d'être prise au piège ici, attirée par un homme qui lui-même était probablement attiré par sa sœur. Et qu'y aurait-il là d'étonnant? Marilyn était jolie, vivante, pleine de santé et touchante. Quel est l'homme qui resterait insensible à pareille combinaison.

Après leur départ, Eve descendit sans entrain avec l'espoir que la télévision l'aiderait à oublier ses tristes pensées.

Le téléphone sonna comme elle passait juste devant l'appareil et elle décrocha machinalement.

– Allô, Eve? Ici Gene Duncan. Je vous appelle comme promis. Voulez-vous dîner avec moi ce soir?

– J'ai bien peur que ce ne soit pas possible, répondit-elle en essayant d'avoir l'air sincère. Ma tante et mon oncle vont chez des amis avec la jeep et je n'ai aucun moyen de venir vous rejoindre à Vail.

– Mais si, intervint Jim Martin qui arrivait justement. Nous pouvons te déposer en ville en passant. Dis-lui que tout est arrangé.

Elle adressa à son oncle des signes désespérés mais en vain. Jim s'approcha suffisamment du téléphone pour que Gene puisse l'entendre.

– Ça ne nous dérange absolument pas, mon petit et ça te fera du bien de sortir. Tu ne vas pas rester ici toute seule?

– Et comment vais-je rentrer? demanda-t-elle sèchement, refusant de se laisser manœuvrer par son oncle. Gene n'a pas de voiture.

Jim lui adressa un sourire triomphant.

– Eh bien, nous prendrons rendez-vous et nous te ramènerons.

– J'ai tout entendu, intervint Gene. Dites oui, maintenant.

– Alors, c'est oui, fit-elle d'une voix morne.

Après tout, elle ne serait pas plus malheureuse en compagnie de Gene que toute seule...

A 8 heures, Jim la déposa devant l'*Alpin Room*, un petit restaurant de style campagnard. Gene, qui l'attendait, l'accueillit avec un sourire chaleureux et amical qui lui remonta malgré tout un peu le moral.

– Vous êtes merveilleuse dans cette robe, s'exclama-t-il quand elle eut enlevé son manteau. Ce vert est particulièrement en accord avec vos yeux.

Elle marmonna quelques remerciements et le suivit dans la salle à manger où ils s'installèrent à une table du fond.

– J'espère que vous avez faim, dit Gene en étudiant le menu. J'ai été sur les pistes toute la journée et je me sens un appétit d'ogre.

Elle sourit et hocha la tête.

– Alors, que pensez-vous du ski ici, par rapport aux environs de New York? demanda-t-elle, espérant le pousser à faire tous les frais de la conversation.

– C'est un peu différent. Il y a plus de poudreuse. Mais je m'y suis habitué et maintenant je m'amuse comme un fou. Je suis désolé de partir.

– Denver n'est qu'à deux heures de route. Vous pourrez revenir souvent.

Il fit la grimace et se pencha vers elle.

– Tout est horriblement cher ici, murmura-t-il. La plupart des prix frisent le ridicule.

– Ce n'est pas moi qui vous contredirai. Si mon oncle et ma tante ne vivaient pas là, nous ne serions jamais venues. Ce n'est pas avec mon maigre salaire que je pourrais me le permettre.

Gene hocha la tête avec sympathie.

– J'imagine que cela a été dur pour vous de vous retrouver ici sans pouvoir skier.

– Oh! Je serai bientôt rentrée. Demain soir, j'espère.

– Mais dites-moi, j'allais oublier! s'exclama Gene, tout à coup très excité. Que pensez-vous de la performance de votre sœur? Elle a réussi un temps remarquable! Vous devez être très fière d'elle.

– Oui, répondit Eve sincèrement. Elle est bien meilleure que je ne l'aurais cru.

– Cela doit vous consoler un peu, non?

Eve sourit du bout des lèvres.

– A dire vrai, cette course a été pour moi un supplice. J'avais peur qu'elle ne soit blessée, à son tour. Naturellement, comme tout le monde, vous allez m'accuser d'être trop mère poule...

– Ça alors! Quand on parle du loup... l'interrompit-il en regardant au loin. Voilà justement votre sœur qui arrive.

Eve tourna la tête une seconde. C'était bien Marilyn, en effet, accompagnée de Bret. Sa sœur s'était débrouillée pour paraître au moins cinq ans de plus que son âge; elle portait un fourreau noir, très décolleté, et le rang de perles de sa tante. Mais c'était sans doute moins cette robe que le regard qu'elle posait sur Bret qui lui donnait maintenant l'air d'une femme.

– Vous voulez aller lui parler? proposa aimablement Gene, sans remarquer le changement d'humeur d'Eve. Nous pourrions même leur proposer de se joindre à nous.

Eve tressaillit.

– Excusez-moi, je pensais à autre chose. Vous disiez?

– Voulez-vous que nous leur demandions de venir à notre table?

– Oh, non! s'écria-t-elle horrifiée.

Mais devant l'air interloqué de Gene, elle se reprit.

– Ils préfèrent sûrement être seuls. Laissons-les tranquilles.

Gene approuva et changea de sujet. Mais Eve n'arrivait plus à retrouver son calme. Incapable de résister à la tentation, elle jeta de nouveau un coup d'œil dans leur direction, juste à temps pour voir Marilyn caresser doucement la joue de Bret.

Eve eut alors, pour la première fois de sa vie, la révélation des tortures que pouvait infliger la jalousie.

5

Le lundi matin, le soleil était revenu.

Eve était seule dans la maison avec Roberta, ce qui était une bénédiction, étant donné son humeur maussade. Après avoir picoré dans son petit déjeuner, elle regardait, songeuse, par la fenêtre du bureau et encourageait en pensée les chasse-neige. Avec un peu de chance, elle pourrait se sauver dès cet après-midi.

Se cramponnant avec optimisme à cette idée, elle avait fait ses adieux à Marylin avant qu'elle ne parte pour l'école et sa sœur avait à peine caché son soulagement. A la grande surprise d'Eve, qui s'attendait à subir le récit, minute par minute, de sa soirée avec Bret, Marylin ne lui en avait pas soufflé mot. Mais peu importaient les détails : Marilyn était rentrée de bonne heure, apparemment très heureuse. Ses joyeux sifflements et ses joues roses étaient un compte rendu largement suffisant.

Maintenant, après quelques heures seulement d'un sommeil agité, Eve ne pensait plus qu'à partir. Si elle devait passer ne serait-ce qu'une journée encore à Vail, elle finirait par hurler.

Trop énervée pour rester en place, elle abandonna la fenêtre et monta dans sa chambre. Mais elle n'avait rien à y faire. Il était 10 heures. Son oncle ne viendrait la chercher que dans cinq interminables heures. Comment occuper tout ce temps? Le sommeil serait un merveilleux refuge, d'autant plus qu'elle avait mal dormi...

Elle s'allongea sur son lit. Mais, avant qu'elle ait pu s'installer confortablement, Roberta frappa et entra.

– M. Chandler vous demande, annonça-t-elle. Il vous attend dans le bureau.

– Vous a-t-il dit ce qu'il voulait? demanda Eve dont le cœur s'était brusquement arrêté de battre.

– Il m'a seulement priée de monter vous chercher, répondit Roberta. Et il a dit que vous preniez votre manteau.

– Mon manteau? répéta Eve en mettant le pied par terre. Pourquoi veut-il que je prenne mon manteau? insista-t-elle en remettant ses chaussures.

– Mon Dieu! mon petit, je n'en sais rien du tout. Comme ça ne me regarde pas, je n'ai rien demandé.

Essayant d'empêcher ses mains de trembler, Eve alla jusqu'à la porte, se retourna vers Roberta, changea d'avis et descendit. Avant d'entrer dans le bureau, elle prit une profonde inspiration et se fit la leçon : elle avait vingt et un ans, elle ne pouvait pas se conduire comme une adolescente qui va à son premier rendez-vous. Bret n'était après tout qu'un homme engagé dans un flirt avec sa sœur et, si elle avait le moindre bon sens, elle oublierait les baisers qu'il lui avait donnés. Son dîner en tête-à-tête avec Marilyn n'était-il pas la preuve qu'il les avait, lui, déjà oubliés? Elle lui montrerait qu'elle était aussi blasée et indifférente que lui.

Se composant un visage souriant, elle poussa la porte et entra.

Bret, debout près de la cheminée, contemplait le

feu. Il se retourna et lui sourit avec cette chaleur à laquelle elle ne savait pas résister.

– Où est votre manteau? Roberta ne vous a pas fait la commission?

Elle hocha la tête et alla s'asseoir dans le fauteuil préféré de son oncle.

– Si, répondit-elle en évitant son regard. Mais comme je pars aujourd'hui, je dois attendre que mon oncle vienne me chercher pour me conduire au car.

– Vous quittez Vail aujourd'hui?

De nouveau elle hocha la tête.

– Je n'ai plus rien à faire ici, murmura-t-elle, la gorge serrée. Je n'aurais d'ailleurs pas dû venir. Marilyn est une grande personne maintenant, comme vous l'avez probablement remarqué; j'ai été stupide de croire qu'elle pourrait m'écouter. Il ne me reste qu'à remballer mes conseils et à m'en aller.

– A quelle heure Jim doit-il venir vous prendre?

– Après le déjeuner. Vers 3 heures, je pense.

Elle avait levé les yeux vers lui, ayant cru déceler dans sa voix une hésitation étrange. Mais son visage impassible ne lui apprit rien, sans doute parce qu'il n'y avait rien à apprendre.

Soudain, en deux enjambées, il fut près d'elle et, sans un mot, lui tendit les mains pour l'aider à se lever.

– Dans ce cas, nous avons tout le temps, déclara-t-il enfin d'une voix redevenue tout à fait ferme. Venez, et n'essayez pas de discuter.

– Mais je viens de vous dire que je ne peux pas sortir! protesta-t-elle. Je ne veux pas rater mon car.

– Vous serez de retour à temps, ne vous inquiétez pas, la rassura-t-il en la poussant vers la porte. Maintenant dépêchez-vous d'aller chercher votre

72

manteau. Et pendant que vous y êtes, mettez des chaussettes chaudes.

– Mais, Bret...

Un doigt sur la bouche, et l'air mystérieux, il lui sourit.

– Pas de discussion, c'est la règle aujourd'hui. Quoi que je dise vous devez obéir sans poser de questions. Bien sûr, j'essaierai de ne rien demander de trop incongru.

Elle ignora la plaisanterie et se défendit :

– Mais je ne peux pas venir! Je suis désolée de déranger vos plans, mais je ne peux vraiment pas!

Redevenant sérieux, il lui prit le menton et la dévisagea :

– Qu'est-ce qui ne va pas? demanda-t-il gentiment en lui caressant la joue. Vous êtes terriblement distante, ce matin. Il me semble pourtant que vous ne devriez plus avoir aucune raison de l'être.

L'odeur de son eau de toilette et la chaleur qui émanaient de lui la plongeaient de nouveau dans l'état qu'elle avait connu l'autre soir. Elle était écartelée entre l'envie folle de le suivre n'importe où et les exigences de son orgueil.

– Je ne suis pas distante, marmonna-t-elle. C'est simplement que le moment est mal choisi.

– Non! il y a quelque chose qui vous tracasse et vous allez m'expliquer ce que c'est.

– Ecoutez, c'est très gentil à vous de vouloir m'emmener, vraiment très gentil, insista-t-elle en se mordant la lèvre et en évitant de le regarder, mais je veux que vous sachiez que je n'attends pas de vous... je ne veux pas que vous vous croyiez obligé de vous occuper de moi parce que... parce que je suis la sœur de Marilyn. Je veux dire... vous deux, vous n'avez pas besoin de mon approbation. Ce... ce que vous faites vous regarde.

Il lui serra le menton plus fort.

– Si vous vouliez bien me regarder, je pourrais vous dire que je ne m'intéresse pas à vous en tant que sœur de qui que ce soit. Je n'ai jamais espéré que vous approuviez Marilyn et je comprends vos raisons. Alors ne vous imaginez pas que je perdrais mon temps à attendre votre bénédiction.

– Mais vous et elle...

– Elle n'a rien à voir dans ce que je vous demande maintenant.

– Mais je ne peux pas l'écarter comme ça de mes pensées! Elle ne veut pas que je vous fréquente. Elle a peur que je vous dissuade de l'entraîner. Et...

– Et elle est très jalouse de vous, termina-t-il en lui repoussant une mèche de cheveux. Vous croyez peut-être que je ne me rends pas compte de l'intérêt qu'elle me porte? J'en suis conscient, mais je pense que ça ne durera pas; ce n'est pas votre avis?

Eve haussa les épaules.

– A en juger par la manière dont elle vous regardait hier soir, c'est peut-être plus sérieux que vous ne le supposez.

– Hier soir? Vous n'étiez pas là quand je suis venu la chercher... Comment...

– Je vous ai vus à l'*Alpine Room*. Je dînais avec un garçon que j'ai rencontré dans le car.

– Vraiment? Et pourquoi n'êtes-vous pas venue nous dire bonsoir?

– Marilyn n'aurait sûrement pas apprécié que je me mêle de votre conversation privée.

– Privée? Mais qu'y a-t-il de privé dans la mise au point d'un programme de course?

– Mais vous lui avez annoncé que vous vouliez l'entretenir de questions personnelles et privées.

– Ah! je commence à y voir plus clair! Elle vous a raconté ça pour vous convaincre que je ne m'intéressais pas à vous. Je vous ai bien dit qu'elle était jalouse!

– Mais c'est ridicule! s'écria Eve. Elle n'a aucune raison d'être jalouse de moi!

– Oh, mais si! murmura-t-il en lui caressant la

nuque. Je dirai même qu'elle a toutes les raisons de l'être...

Ses caresses la troublaient plus encore que ses paroles. Elle posa les mains sur sa poitrine, comme pour le repousser, mais en vérité son geste ressemblait plus à une invitation. Une invitation à laquelle il s'empressa d'obéir. Il la prit vivement dans ses bras, la serra contre lui et doucement, puis de plus en plus passionnément, se mit à la couvrir de baisers. Les bras passés autour de son cou, elle s'abandonna à lui, les lèvres entrouvertes.

Tout à coup il la lâcha et alla s'asseoir sur le canapé, devant le feu. En souriant il lui tendit les bras. Sans hésitation elle posa ses mains dans les siennes et il l'attira sur ses genoux. Soulevant son pull-over, il se remit à la caresser en murmurant son nom. Le contact de ses doigts sur sa peau nue la faisait trembler et leurs lèvres s'unirent de nouveau avec fièvre.

Blottie dans ses bras, elle avait l'impression de lui appartenir tout entière. Elle lui rendait ses baisers avec une fougue égale à la sienne. Il ne restait plus rien de la réserve avec laquelle elle avait jusqu'alors répondu aux baisers de ses admirateurs. Cédant à l'instinct féminin qui s'éveillait en elle, elle passa la main sous son pull-over et, tout en lui caressant la poitrine, lui tendit ses lèvres.

— Vous avez de la chance que Roberta soit là, chuchota-t-il. Sinon, j'aurais été capable d'oublier que je voulais sortir avec vous.

Avec un sourire, elle posa sa joue au creux de son épaule. Tendrement, il lui mit la main sur son genou, et le geste lui parut si doux et si réconfortant, après ces moments d'intense passion, qu'elle se détendit tout à fait dans ses bras, pas le moins du monde désireuse de s'y arracher.

— Et si nous restions ici? suggéra-t-elle. Roberta a déjà fait le ménage... Elle ne viendra pas nous déranger.

Il la serra contre lui et secoua la tête. Une lueur gentiment ironique brillait dans ses yeux.

– Je ne pense pas que vous compreniez très bien ce que j'attendrais de vous alors. Je vous demanderais sans doute quelque chose que vous n'êtes pas encore prête à m'accorder. Ou est-ce que je me trompe?

Il fixait sa bouche avec une telle intensité que le « non » qu'elle aurait dû répondre aussitôt lui resta dans la gorge.

– Eh bien? murmura-t-il d'une voix rauque. Je me trompe?

– Je ne sais pas, murmura-t-elle, en suivant du doigt le contour de ses lèvres. Peut-être...

– Cela signifie-t-il que c'est à moi de le découvrir?

Elle leva vers lui un regard timide sans lui donner le temps de répondre, il posa vivement sa bouche sur la sienne et se mit à lui caresser doucement la poitrine.

Ce fut le moment que choisit Roberta pour frapper et entrer dans la pièce. Eve poussa un soupir de regret, mais Bret ne la lâcha pas pour autant et lui adressa un petit sourire complice.

Roberta, plutôt déconcertée de trouver Eve dans les bras de Bret, finit par sourire aussi.

– Je ne savais pas que vous étiez si occupés, dit-elle d'un ton chargé de sous-entendus. Je ne vous ennuierai pas longtemps, ajouta-t-elle en dénouant son tablier. Je suis seulement venue vous prévenir que je vais jusqu'à l'épicerie, maintenant que la route est déblayée.

Les joues en feu, Eve lui fit un petit signe de tête sans la regarder. Elle jeta un coup d'œil à Bret qui, lui, souriait sans aucune gêne.

– N'ayez crainte. Je m'occuperai d'Eve pendant votre absence, répondit-il d'une voix amusée.

– Je n'en doute pas, répliqua Roberta en étouffant un petit rire.

Elle sortit aussitôt et referma la porte derrière elle.

– Voyons, où en étions-nous? chuchota Bret en l'embrassant dans le cou.

Mais Eve avait entendu démarrer la camionnette de Roberta et elle se raidit légèrement. Ils étaient seuls maintenant dans la maison. Tout à coup, sa conduite lui parut d'une folle inconscience. Et si Bret s'imaginait qu'elle était prête à aller au delà de ces baisers et de ces caresses? En toute honnêteté, elle ne pourrait pas lui en vouloir. Ne le lui avait-elle pas laissé entrevoir?

Mais maintenant, elle se rendait pleinement compte qu'il n'en était rien. Qu'il ait éveillé en elle des émotions encore inconnues, voilà qui ne suffisait pas. Avant de franchir ce pas, elle voulait aimer et être aimée. Comment le lui expliquer, alors qu'elle avait répondu à son ardeur avec une telle complaisance? Il serait en droit de conclure qu'elle l'avait délibérément provoqué et les hommes n'apprécient guère ce genre de comportement. Incapable d'affronter le regard de Bret, les yeux fixés sur la main qu'il avait toujours posée sur sa taille, elle se mit à jouer nerveusement avec le bout de ses doigts.

– Bret, je... je n'aurais pas dû... je veux dire... ce que je vous ai répondu... que vous vous trompiez... je n'aurais pas dû dire ça, parce que...

– Ce n'était pas vrai et je ne me trompais pas, finit-il à sa place. Je ne l'ai jamais vraiment pensé, ajouta-t-il en l'aidant à se lever. Et puisque vous ne vous sentez plus en sécurité maintenant sans Roberta, grimpez vite chercher votre manteau.

Surprise qu'il n'ait pas l'air de lui en vouloir, Eve le regarda fixement.

– Vous êtes tellement plus gentil que ce à quoi je m'attendais, murmura-t-elle enfin.

Il éclata de rire.

– Oh! excusez-moi, ce que j'ai dit là est stupide! Laissez-moi vous expliquer...

– Inutile. Marylin m'a déjà raconté que vous étiez convaincue que je ressemblais à votre vieil ami Hank. Maintenant, allez chercher ce manteau. Et n'oubliez pas les chaussettes.

– Mais mon car...

– Nous avons tout le temps.

– Mais où voulez-vous m'emmener?

– Vous ne le saurez jamais si vous n'allez pas chercher votre manteau!

A son air décidé, elle comprit que rien ne servirait de discuter. A la rigueur, il était prêt à monter lui-même chercher ses vêtements plutôt que de renoncer à la traîner dehors.

– Et si je monte vous me le direz?

– Nous verrons, répondit-il sans se compromettre.

Elle n'insista pas mais, une fois redescendue, elle n'en tira rien de plus. Tout le long du chemin jusqu'à Vail, il se contenta de sourire d'un air mystérieux en réponse à ses questions. Elle finit par renoncer et par contempler sans rien dire la campagne couverte de neige.

Il se rangea derrière un restaurant, dans une rue déserte. Eve ne devinait toujours pas ce qu'il avait en tête. Elle lui adressa un petit sourire intrigué quand il lui ouvrit la portière mais son sourire s'évanouit quand elle le vit s'emparer des deux paires de skis qu'il transportait sur le toit de sa voiture.

– Que faites-vous? demanda-t-elle la gorge nouée.

Elle recula, effarée, quand il lui tendit les bâtons.

– Je n'en veux pas! protesta-t-elle.

Sans se laisser décourager, il essaya de lui mettre un bâton dans chaque main. Mais elle refusait toujours de les tenir.

– Ne faites pas cette tête-là! Ce ne sont pas des serpents! plaisanta-t-il en l'obligeant à les prendre. Ça ne peut pas vous faire de mal. Et je vous en prie, ne me regardez pas comme si je venais de vous livrer à l'ennemi, dit-il en lui caressant la joue. C'est quelque chose que vous auriez dû faire depuis longtemps.

– Mais je ne peux pas! Je ne veux pas! Ramenez-moi à la maison!

– Les médecins estiment que vous pouvez skier, du moment que vous ne prenez pas de risques, n'est-ce pas? Eh bien, c'est ce que nous allons faire, tout tranquillement.

– Je n'irai pas. Vous ne pouvez pas me forcer. Et rien de ce que vous pourrez me dire ne me fera changer d'avis, répliqua-t-elle, l'air buté, les mâchoires serrées.

– Et si je vous portais jusqu'en haut de cette montagne? Vous auriez beau crier et vous débattre, je suis plus fort que vous.

– Vous ne le ferez pas, je le sais très bien. Le scandale serait trop grand.

– J'en doute fort. Nous sommes à Vail, ne l'oubliez pas. On peut faire n'importe quoi ici. Personne ne s'en soucie.

C'était bien vrai. Il aurait pu la traîner sur les pistes par les cheveux, sans s'attirer autre chose que des sourires. Les gens n'y auraient probablement vu qu'une querelle d'amoureux. Mais Eve, qui le croyait incapable de mettre sa menace à exécution, le mit au défi de le faire.

Bret releva le défi. Sans un mot, il lui prit les bâtons des mains et les piqua dans la neige, à côté de la jeep.

– J'enverrai quelqu'un chercher tout ça, dit-il calmement, et il la souleva de terre avec une incroyable facilité.

– Lâchez-moi! hurla-t-elle en tambourinant sur sa poitrine.

Il partit à grands pas dans la direction des pistes. Plus elle gigotait, plus il la tenait fermement. Ils croisèrent deux jeunes femmes, skis sur l'épaule, qui se retournèrent en ricanant bêtement sur leur passage. Eve se sentait tout à fait ridicule.

– Qu'est-ce qui lui prend? demanda l'une d'elles. Elle est folle! Je le laisserais bien m'emporter n'importe où!

– Bon sang! Bret, lâchez-moi! chuchota-t-elle, furieuse.

Mais il était visiblement décidé à aller jusqu'au bout et elle cessa de s'agiter. Comme ils approchaient de quelques touristes qui se doraient au soleil sur un banc, elle comprit qu'elle n'avait pas le choix: il lui fallait céder, ou du moins faire semblant.

– Bon! Bon! marmonna-t-elle assez peu aimablement. Je vais vous suivre. Mais mettez-moi par terre.

– Promis?

– Oui! soupira-t-elle.

Mais dès qu'elle fut sur ses pieds, elle fit un pas en arrière et nuança sa promesse.

– Je monte avec vous et je vous attendrai, puisque vous avez tellement envie de skier. Mais moi, je ne skierai pas. Pour rien au monde.

– Et moi qui croyais que je pouvais vous faire confiance! remarqua-t-il avec un soupir en lui attrapant le bras. Ma foi, je vais quand même être obligé de vous porter jusque là-haut.

– Bret, je vous en prie, murmura-t-elle en s'accrochant à sa manche, l'air vraiment terrifié. Ne me forcez pas! Je ne peux plus faire de ski, je le sais. Je ne veux même pas essayer.

– Mais vous ne pouvez pas continuer à détester cet endroit et à en avoir peur. Je ne vous demande pas de descendre la « noire » ni même une piste deux fois moins difficile. Allons faire un essai avec les débutants, ou sur la « bleue » peut-être.

Elle détourna le regard et secoua la tête.

– Vous ne comprenez pas. Le ski n'a jamais eu tellement d'importance pour moi. Ça ne me manque pas.

– Petite menteuse! lança-t-il en lui prenant le visage dans les mains. Si le ski ne représentait rien pour vous, vous n'auriez jamais pu atteindre ce niveau. C'était pour le moins un plaisir.

– C'est vrai! j'y prenais plaisir, admit-elle à contrecœur. Surtout quand j'ai été capable de descendre les pistes les plus difficiles. Mais c'est fini maintenant. Et je ne veux pas faire joujou avec des débutants qui vacillent sur leurs planches.

– Ça peut être beaucoup plus amusant que vous ne l'imaginez, dit-il d'un ton enjôleur. Et il est grand temps que vous vous amusiez un peu. Il y a bien longtemps que cela ne vous est pas arrivé.

– Mais si, je...

– Non. Et comme vous partez aujourd'hui... Attendez-moi, je vais chercher les skis.

Il la lâcha et s'éloigna.

– Bret, je ne peux pas! s'écria-t-elle, les yeux pleins de larmes en le rattrapant par la manche. Je... je ne veux pas tomber encore! Je vous en supplie ramenez-moi à la maison. Ne me faites pas ça. C'est trop cruel!

Il parut hésiter un instant, les yeux remplis de compassion, mais finalement secoua la tête et l'attira contre lui.

– Loin de moi l'intention d'être cruel. Mais « qui aime bien, châtie bien »... Ce vieil adage est peut-être vrai. Le pire qui puisse vous arriver est de repartir d'ici avec cette peur de la montagne qui vous poursuit. Et je ne vois qu'un moyen d'y remédier. Vous le connaissez et vous devez l'essayer.

Il avait raison, elle en était convaincue, mais elle ne voulait pas l'admettre.

– Ce n'est pas aussi simple que ça, s'entêta-t-elle. Je ne peux pas, tout simplement.

– Je vous aiderai et tout ira bien.

– Mais, je...

Elle se tut. Il était reparti et lui cria de loin qu'il allait chercher les skis.

Affolée, elle regarda autour d'elle. Elle aurait voulu fuir. Mais pour ce faire, il lui fallait soit passer devant Bret, ce qui était impossible, soit grimper sur cette énorme montagne, ce qu'elle redoutait plus que tout. Elle resta donc tout simplement sur place, à se tordre les doigts à travers ses gants au point de se faire mal.

Bret fut de retour, beaucoup trop tôt à son goût.

– Autant vous louer carrément des skis. Les chaussures de Marilyn seraient trop grandes pour vous de toute façon. D'ailleurs, vous n'avez pas besoin de skis de slalom. Nous en prendrons de plus stables.

La gorge nouée, incapable de prononcer un mot, elle avançait en le tenant par la main. Ils s'approchèrent du comptoir de location. Elle marmonna péniblement sa pointure et, dès qu'on lui eut remis des chaussures, elle alla s'asseoir, toute raide, sur un banc. Elle n'arrivait pas à se décider à enlever ses bottes : ce que Bret lui demandait était au-dessus de ses forces.

Un instant elle songea à lui donner un coup de pied dans le tibia et à se sauver. Mais quelque chose lui disait qu'elle n'arriverait même pas jusqu'à la porte. Il devait avoir des réflexes rapides. Abandonnant ce projet plus qu'incertain, elle leva les yeux vers lui, sans se rendre compte à quel point elle avait l'air implorant.

– Ne me regardez pas comme ça, murmura-t-il, la voix rauque, en s'accroupissant devant elle et en lui posant une main sur les genoux. Vous me donnez l'impression de vous avoir giflée. Allons! mettez vos chaussures. Ce ne sera pas aussi terrible que vous le redoutez. Je ne vous quitterai pas.

– Il se trouve que le ski est un sport solitaire. On ne peut pas descendre une piste en se tenant par le bras, marmonna-t-elle, les mâchoires serrées. Je ne voix pas bien à quoi vous pourrez me servir...

Mais elle se décida quand même à changer de chaussures.

– Je vous soutiendrai moralement, dit-il avec beaucoup de sérieux. Ça aide.

Sans répondre, elle se leva et tapa du pied pour s'assurer que ses chaussures étaient bien en place. Il sortit et elle le suivit.

Ils ne parlèrent ni l'un ni l'autre tandis qu'ils fixaient leurs skis. Et pourtant, ce n'était pas l'envie qui manquait à Eve de dire à Bret, en termes non équivoques, ce qu'elle pensait de lui. Elle avait tellement peur maintenant qu'elle pouvait à peine respirer. Elle se cramponnait à ses bâtons fichés dans la neige, tant elle redoutait de perdre l'équilibre.

– Essayez de vous détendre, Eve, lui dit-il doucement en se dirigeant vers le télésiège.

Elle resta un moment sans pouvoir bouger : mais se sentant stupide, là debout, les yeux fixés sur Bret, elle avança un ski et, sans y réfléchir, poussa sur ses bâtons. Puis, le cœur battant, elle se laissa glisser sur la très faible pente et rejoignit le groupe de gens qui attendaient le télésiège.

Bret s'était retourné et l'avait regardée faire d'un air satisfait.

– Je me demandais à quoi vous ressembliez sur des skis, lui murmura-t-il à l'oreille. Je ne suis pas déçu : vous êtes superbe, très naturelle et très gracieuse.

– Je n'ai pas l'air d'un gros ours? De toute façon, ce sera certainement le cas quand je me retrouverai là-haut, dit-elle sèchement.

– Vous n'aurez jamais l'air d'un gros ours. Même après quatre ans, vous vous sentirez beaucoup plus à votre aise que n'importe quel débutant.

En arrivant en haut, au sortir du télésiège, tout son courage l'abandonna. Il n'y avait plus qu'une façon honorable de redescendre : sur ses skis...

— Oh! mon Dieu! soupira-t-elle.

Une étrange sensation nauséeuse s'empara d'elle. Elle allait céder à la panique, quand Bret s'approcha et la prit par les épaules.

— Ce sera beaucoup plus facile que vous ne le pensez, promit-il d'un ton rassurant. C'est comme la bicyclette. Ça revient tout de suite, même si on n'en a pas fait depuis longtemps.

Sans se donner le temps de réfléchir, elle descendit derrière Bret les quelques mètres qui la séparaient du point de départ.

— Vous y arriverez! répéta Bret. J'en suis certain!

— Je ne suis pas sûre de pouvoir tourner avec mon genou, dit-elle, hésitante. Et s'il lâche?

— Vous n'avez pas besoin de virer sec ni de foncer. Votre genou n'aura pas d'effort à faire. Allons-y, maintenant.

Il démarra aussitôt et, instinctivement, elle le suivit. L'air froid lui coupa le souffle. Elle filait à toute vitesse. Pour réduire son train, elle amorça un grand virage. Elle constata avec surprise qu'elle pouvait tourner à droite et à gauche sans que ses genoux aient à en souffrir.

Tout à coup ce fut terminé. Elle était en bas, bien à plat; elle passa devant un groupe de jeunes élèves et se paya le luxe d'un arrêt en dérapage contrôlé à un mètre de Bret qui l'accueillit avec un sourire qu'elle ne lui avait jamais vu et auquel elle répondit timidement.

— Je ne suis pas tombée, dit-elle tout à fait inutilement.

Elle attendait un « je vous l'avais bien dit » mais rien ne vint. Au lieu de cela, il lui désigna la piste :

– On essaye encore une fois? Comment va le genou?

– Jusqu'à présent, très bien, répondit-elle avec un soupir de soulagement.

Bret se pencha et l'embrassa tendrement sur la bouche. Jamais encore Eve ne s'était sentie si heureuse.

Elle refit la piste trois ou quatre fois, oubliant totalement son genou et profitant pleinement de cette impression de liberté que lui donnaient le vent dans ses cheveux et les tourbillons de neige, scintillant dans le soleil, qu'elle soulevait sur son passage.

Bret lui suggéra alors d'arrêter, estimant que ça suffisait pour le premier jour.

– Encore une seule descente, insista-t-elle.

Et, avec lui, elle remonta sur le télésiège.

A mi-descente, elle s'aperçut qu'elle aurait dû suivre son conseil. Prise d'une crampe à la cuisse gauche, elle sentit que sa jambe ne répondait plus. Elle parvint à s'écarter suffisamment de la piste pour ne pas gêner les autres skieurs et tomba. Son ski se détacha et continua seul sa course. Appuyée sur un coude, elle commença à se masser.

– Eve! cria Bret en s'arrêtant près d'elle. Ça va? C'est votre genou?

Il releva les fixations de ses skis avec des mains qui tremblaient légèrement.

– Oui, oui, ça va, le rassura-t-elle. C'est une simple crampe.

Avec un soupir de soulagement il s'agenouilla à côté d'elle, enleva un gant et se mit à masser sa jambe.

– Nous aurions pu rester à la maison pour faire ça, murmura-t-il avec un sourire suggestif qui la fit rougir.

Toute cette joie était si inattendue qu'elle se sentit tout à coup très jeune et d'humeur gamine. Elle ramassa un peu de neige qu'elle lui glissa prestement dans le cou. Il lui rendit la pareille presque instantanément.

– Mais alors vous savez vous amuser! s'exclama-t-il, une lueur malicieuse dans les yeux.

Il se laissa tomber à genoux dans la neige, l'attira à lui et lui passa la main dans les cheveux. Dès qu'elle sentit sa bouche sur la sienne, elle entrouvrit les lèvres. Le baiser qu'ils échangèrent, lent et profond, ne ressemblait plus du tout à un jeu. Elle lui passa les bras autour du cou et s'abandonna au bonheur d'éprouver la force de ce corps puissant et de se serrer contre lui.

– Décidément, ce n'est pas l'endroit idéal pour s'installer de façon confortable, dit-il doucement en la lâchant à contrecœur.

Il se leva et, d'une main, l'aida à en faire autant.

– Si nous allions plutôt déjeuner? Vous avez faim?

Eve approuva silencieusement. En le regardant partir à la recherche de son ski, elle comprit tout à coup qu'il venait de prendre une place primordiale dans sa vie.

Eve ne prit pas le car pour Denver. Après le déjeuner, ils bavardèrent en prenant le café. Quand elle se rappela enfin qu'elle était censée partir l'après-midi même et qu'elle lui demanda l'heure, elle fut stupéfaite d'apprendre qu'il était près de 15 h 30.

– Oncle Jim va m'assassiner! gémit-elle en se levant. Je me demande ce qu'il a pu penser en ne me trouvant pas à la maison.

– J'imagine que vous m'en voulez de vous avoir fait rater le car, dit Bret, railleur, tandis qu'ils retournaient vers la jeep. Me pardonnerez-vous jamais?

– Jamais! répliqua-t-elle avec une lueur dans le regard qui démentait ses paroles.

Vingt minutes plus tard il la déposait devant chez son oncle.

– Soyez demain à 10 heures au télésiège, dit-il en lui donnant un rapide baiser. Accepterez-vous de déjeuner chez moi, après, ou avez-vous peur de vous trouver seule en ma compagnie?

– Je devrais?

– Probablement.

Elle rougit mais soutint son regard.

– Je n'ai pas peur de vous, Bret. Je viendrai parce que j'en ai envie.

– Alors, à demain.

– A demain, murmura-t-elle.

Après un bon bain bien chaud et une petite sieste, elle commença à se préparer pour le dîner. Assise devant sa coiffeuse, ses joues rosées lui arrachèrent un léger sourire. L'amour embellissait-il les filles? Cette vivacité d'expression, ces yeux brillants qu'elle n'avait pas ce matin, elle ne les devait pas seulement à ses succès sur la piste...

Son cœur cessa une seconde de battre : demain, elle allait déjeuner chez Bret! Elle tentait le diable, mais elle n'avait pas eu le courage de refuser. Elle avait besoin d'être près de lui, de lui donner cet amour qu'elle sentait grandir en elle. Peut-être n'était-il pas très sage d'accepter de se donner à lui. Peut-être se faisait-elle des illusions en s'imaginant qu'il commençait à l'aimer, lui aussi. Mais en cette minute, sa folle inconscience ne la troublait guère.

Elle alla prendre ses chaussures dans le placard et elle s'apprêtait à les enfiler quand Marilyn entra.

Elle claqua la porte et fusilla sa sœur du regard.

– Tu me rends malade! s'écria-t-elle méchamment, les poings sur les hanches. Tu ne pouvais pas le laisser tranquille, non? Même après t'avoir dit ce qu'il représentait pour moi? Tu es restée pour essayer de l'éloigner de moi! Mais je ne te laisserai pas faire, tu m'entends?

Se sentant atrocement coupable d'avoir complètement oublié sa sœur, Eve se précipita pour la prendre dans ses bras. Mais Marilyn l'écarta d'une claque sur la main.

– Marilyn, laisse-moi t'expliquer...

– Qu'est-ce qu'il y a à expliquer? s'exclama l'adolescente, hors d'elle. Me prends-tu pour une imbécile? Tu t'imaginais peut-être que je ne saurais pas qu'il était avec toi alors que je l'ai attendu plus d'une heure à l'entraînement?

– Je suis désolée qu'il ait été en retard. Il a dû me raccompagner après...

– Après ton grand triomphe sur la piste des débutants, l'interrompit-elle, sarcastique. Oh! je sais tout! Comme j'avais deviné qu'il était avec toi, il m'a raconté ta merveilleuse victoire. Il n'y a pas à dire, tu sais par où le prendre! Cette façon que tu as de boitiller de temps à autre est très efficace mais ça ne pourra pas l'émouvoir indéfiniment. Il va falloir trouver autre chose. Te mettre au lit avec lui, par exemple. Au cas où tu ne l'aurais pas déjà fait, ne t'inquiète pas : tu ne lui donneras rien qu'il n'ait déjà reçu de moi!

– Ce qui signifie?

– D'après toi, qu'est-ce que cela peut bien signifier?

– Tu es grotesque, répondit sèchement Eve que toute cette discussion dégoûtait. Tu ne vas quand même pas me faire croire que Bret et toi...

Marilyn haussa les épaules et se détourna légèrement.

– Crois ce que tu veux, mais souviens-toi que je l'aime. Je ne vois rien de mal à ce que nous faisons ensemble.

– Oh! pour l'amour de Dieu! Tu n'es qu'une enfant! Bret ne pourrait jamais...

– Et sa chambre? Elle te plaît? l'interrompit

Marilyn. Je la trouve très romantique, avec cette cheminée, ce tapis de haute laine, ce lit majestueux... Pas toi?

Incrédule, Eve secoua la tête.

– Que tu saches à quoi ressemble sa chambre ne prouve pas que tu aies fait l'amour avec lui. Tu ne m'as pas convaincue. Je suis certaine qu'il ne...

– Oh! c'est arrivé comme ça! dit doucement Marilyn, le regard perdu dans le vague. Je suis allée chez lui un soir la semaine dernière, avant que tu n'arrives, et naturellement j'avais envie qu'il m'embrasse. Il l'a sans doute senti et il l'a fait. Et tout d'un coup je me suis retrouvée sans pull-over et...

Elle haussa les épaules, jeta un coup d'œil à sa sœur et baissa les yeux. Cet air un peu gêné et ce ton tranquille qui ne lui était pas habituel provoquèrent chez Eve un véritable désarroi.

– Tu mens! Ce ne peut être qu'un mensonge, murmura-t-elle précipitamment.

Mais en voyant Marilyn secouer la tête et se mordre nerveusement la lèvre, une douloureuse sensation de vide l'envahit.

– Tu ne le diras pas à tante Miriam, n'est-ce pas? Je t'en prie... Elle en serait bouleversée. Je ne sais pas comment c'est arrivé... mais c'est arrivé. Bret est si... si viril et si gentil en même temps. Et j'avais peur qu'il cesse de m'embrasser. Alors quand il m'a emportée dans sa chambre...

– Non! je ne veux rien entendre! supplia Eve d'une voix rauque.

Elle se détourna et regarda par la fenêtre sans rien voir, essayant d'étouffer les sanglots qui l'étranglaient. Marilyn disait la vérité. Elle avait toujours été une pauvre menteuse; elle en rajoutait trop pour qu'on puisse la croire. Bret devait l'avoir effectivement séduite, sinon elle aurait décrit la scène avec un luxe de détails pathétiques qui auraient rendu son récit inacceptable.

6

Bret l'attendait déjà au pied des pistes quand Eve arriva le lendemain matin. Le chaleureux sourire avec lequel il l'accueillit ne fit qu'accroître le chagrin qui l'oppressait.

Hier encore elle aurait eu foi en ce sourire, mais la confession de Marilyn avait balayé ses illusions. Elle savait maintenant qu'elle ne comptait pas pour lui plus qu'une autre. Elle n'était qu'une nouvelle et éventuelle conquête. Aujourd'hui qu'elle voyait à quel genre d'homme elle avait affaire, elle était effondrée à l'idée qu'elle aurait pu se donner à lui. Elle devait sans doute s'estimer heureuse d'avoir appris la vérité à temps mais c'était là une bien piètre consolation.

Comment avait-il réussi à la tromper à ce point? Elle lui jeta un coup d'œil rapide, s'attendant presque à déceler, dans son regard limpide, une preuve de sa bassesse. Mais elle n'y lut encore qu'un chaleureux intérêt. Et quand il la prit par le bras pour l'emmener prendre un café, elle ne put s'empêcher de frissonner.

Elle était incorrigible! Ces mains auraient dû lui faire horreur. Et bien, non! Il avait renversé toutes ses défenses en apparaissant si différent de tous ces jeunes gens qui venaient à Vail par troupeaux exercer leur petit jeu de séduction. Il lui faudrait sans doute un certain temps pour comprendre avec quelle habileté il l'avait manœuvrée. Elle lui serait peut-être même reconnaissante un jour de la leçon qu'il lui avait donnée. Ce n'était pas exclu, mais elle en doutait fort.

– Voulez-vous un café? Un chocolat chaud? demanda Bret, interrompant le cours de ses sombres réflexions. Si vous n'avez pas pris de petit déjeuner, vous devriez manger un peu. Il ne faut pas faire du ski le ventre vide.

– Je ne veux rien, répondit-elle avec raideur, les yeux fixés sur la table et les mains crispées sur ses genoux. J'ai essayé sans succès de vous joindre ce matin. Je suis venue seulement pour vous dire que je ne ferai pas de ski aujourd'hui.

– C'est à cause de votre genou? Vous vous êtes fait plus mal que vous ne pensiez?

Elle le regarda, stupéfaite. Quel comédien! Sa voix avait des intonations si douces qu'il était presque impossible de croire qu'il faisait seulement semblant d'être inquiet. Mais, sachant ce qu'elle savait, elle se ferma à tout ce qu'il pourrait tenter de faire pour la convaincre de sa sincérité.

– Non, ce n'est pas mon genou. J'ai simplement décidé que je ne voulais pas skier. Si vous voulez bien m'excuser, je...

Elle se leva pour partir mais il lui saisit le poignet et l'obligea à se rasseoir. Elle essaya de se dégager.

– Lâchez-moi, murmura-t-elle. Tout de suite.

– Qu'est-ce qui ne va pas? s'exclama-t-il, l'air sincèrement étonné. Où allez-vous?

– Pour l'instant, à la maison. Et cet après-midi à Denver.

– Mais à quoi rime ce brusque revirement? Et que deviennent tous les projets que nous avions faits pour aujourd'hui?

– Je crains que vous n'ayez à trouver une autre partenaire pour votre petit jeu, laissa-t-elle échapper malgré elle.

Elle aurait voulu rattraper ses paroles. Elle n'avait pas l'intention de lui révéler les raisons de son changement d'état d'esprit. Elle voulait quitter Vail en le laissant se demander quelle erreur il avait bien pu commettre avec elle. Cela serait au moins une consolation. Mais là, assise en face de lui, elle était bien trop malheureuse pour rester calme, froide et mystérieuse. Elle n'avait plus qu'un désir : lui faire mal pour le punir d'avoir trahi sa confiance. Car il l'avait trahie, comme Hank quatre ans plus tôt. Elle voulait qu'il souffre, ne serait-ce que le dixième de ce qu'elle avait souffert depuis que Marilyn lui avait fait ses confidences.

Elle se força à sourire et haussa les épaules avec indifférence.

— Je n'ai pas envie d'aller chez vous ni d'entrer dans votre jeu, c'est tout. Mais vous n'aurez aucun mal à trouver une autre fille ravie de prendre ma place. Celle-là par exemple, près de la fenêtre, avec ses cheveux noirs tout courts. Elle vous lorgne depuis dix minutes : avec elle vous auriez sans doute des chances.

Bret serra brutalement les doigts sur son poignet.

— Et qu'est-ce qui me vaut ce discours? gronda-t-il. Que vous arrive-t-il? Vous avez perdu la raison?

— Je crois au contraire que je suis en train de la retrouver, dit-elle évasivement en s'efforçant de garder un ton détaché.

Elle fit une grimace de dégoût en regardant la main qui lui tenait le poignet.

— Pourriez-vous réserver à d'autres vos talents d'homme des cavernes? Ils ne me procurent aucun plaisir particulier, alors autant me laisser partir.

— N'y comptez pas! Bon sang de bois! Je ne vous lâcherai pas avant que vous ne m'ayez expliqué ce que tout ce galimatias signifie! Vous avez intérêt à parler, et vite.

— Que voulez-vous que je vous dise? Je n'ai rien à ajouter. Il va falloir vous chercher une autre conquête!

— C'est bon. Jusque-là, j'ai compris. Pour une raison ou une autre vous vous êtes fourré dans la tête que tout ce qui m'intéresse, c'est de vous bousculer dans le foin, ou dans la neige. Mais ce que je veux savoir maintenant, c'est comment cette idée vous a poussé entre hier après-midi et ce matin.

– Que vous importe comment j'ai découvert la vérité? La seule chose qui compte, c'est que c'est la vérité.

– Non! ce n'est pas vrai et je ne peux pas croire que vous le pensiez, murmura-t-il furieux en se levant et en la tirant après lui. Vous allez venir avec moi et nous allons éclaircir ça immédiatement.

– Il n'y a rien à éclaircir et je ne vous suivrai pas!

Les pieds fermement appuyés sur le sol, elle s'accrocha à une poutre qu'elle trouva à sa portée. Bret se retourna vers elle, la bouche serrée, le regard brillant d'un éclat dangereux. Il lui lâcha le poignet et l'agrippa par le bras.

– Je vous conseille d'avancer, jeune fille, sinon je vous jure que je vous prends à bras-le-corps et que je vous sors d'ici! Je pense que vous n'en doutez pas! Et devant tout le monde encore!

Eve fit instinctivement un pas en avant, ce qui amena un vilain sourire de satisfaction sur les lèvres de Bret. Il ramassa son manteau et son sac et, sans la moindre gentillesse, l'entraîna jusqu'au comptoir de location de skis.

– Je peux utiliser un moment ton bureau, Neil? demanda-t-il à l'employé. J'ai besoin de m'entretenir en particulier avec cette jeune fille.

Neil jeta un rapide coup d'œil sur Eve et sourit. Il ne croyait visiblement pas beaucoup à cette histoire de « conversation ». Il accepta cependant.

– Je t'en prie, fais comme chez toi. Personne ne vous dérangera, dit-il avec un regard plein de sous-entendus. Tu n'as qu'à verrouiller la porte et à débrancher le téléphone.

Eve rougit sous le regard ironique de Bret. Elle

brûlait d'envie de le battre et de lui échapper! Mais il la poussa brutalement dans le bureau.

La porte fermée, il la lâcha. Elle recula. Il avança. Elle comprit un peu tard qu'elle était prise au piège quand elle faillit perdre l'équilibre en butant contre une table. Il la rattrapa par la taille et promena ses mains chaudes et puissantes sur ses hanches.

– Racontez-moi ce qui ne va pas, je vous en prie, chuchota-t-il en lui relevant une mèche qui lui balayait la joue. Il faut me dire pourquoi vous pensez que je veux seulement abuser de vous. Il me semblait que vous aviez compris que vous comptiez infiniment plus que cela pour moi.

– Ne me jouez pas la comédie, je vous en supplie! murmura-t-elle implorante, désespérée de sentir que la douleur prenait le pas sur sa colère.

Elle ferma les yeux et reprit en frissonnant:

– Comment avez-vous pu faire une chose pareille? Pourquoi? Quel plaisir auriez-vous pris à nous mettre toutes les deux dans votre lit?

– Mais au nom du ciel, Eve, de quoi parlez-vous? s'exclama-t-il en lui prenant le visage dans ses mains. Ouvrez les yeux et expliquez-vous! Je ne peux pas répondre à cette ridicule question si je ne sais pas ce que vous entendez par « toutes les deux ».

– Cela a-t-il si peu d'importance pour vous? demanda-t-elle d'une voix étranglée. Elle n'a que dix-sept ans, Bret, et elle croit qu'elle vous aime. Deviez-vous vraiment en profiter?

– Vous parlez de Marilyn, n'est-ce pas? s'écria-t-il en la saisissant par les épaules et en la secouant. C'est bien ça? Vous pensez que j'ai fait l'amour avec elle?

Son ton effaré fit naître un sourire amer sur les lèvres d'Eve.

– Vous étiez sans doute convaincu qu'elle ne me dirait rien? Vous auriez pu essayer d'imaginer les sentiments qu'elle éprouverait en voyant que vous

vous intéressiez à moi! Elle ne veut pas vous perdre. Vous êtes le seul homme qui...

– Mais je ne l'ai jamais touchée, pauvre petite idiote! Elle ne m'attire pas du tout, sur ce plan-là!

Incrédule, Eve secoua la tête.

– Oh! Bret, ne mentez pas! elle est ravissante et...

– Et elle vous a dit que nous avions fait l'amour pour que vous réagissiez exactement comme vous le faites! Ne comprenez-vous pas? Elle est jalouse. Elle savait que vous partiriez aussitôt. Et vous avez avalé tout son roman feuilleton! Comment pouvez-vous être aussi naïve?

– Oh! oui, je suis naïve! Il n'y a qu'à voir comme vous avez réussi à me tromper.

Il jura à voix basse. Son regard devint glacial.

– Alors, vous refusez de m'écouter? Vous préférez croire les mensonges de Marilyn plutôt que de me faire confiance?

– Quand elle ment, je m'en aperçois aussitôt, et hier soir elle disait vrai. Je la connais, alors que vous, je sais à peine qui vous êtes. Qu'est-ce qui me prouve que ce n'est pas vous qui m'avez menti, depuis le début jusqu'à la fin?

Brusquement, il la lâcha, recula et lui lança un regard lourd de colère.

– Je ne crois pas que vous connaissiez qui que ce soit, Eve, dit-il d'une voix dangereusement douce. Vous voyez toujours en votre sœur ce qu'elle était il y a quatre ans: une petite fille de treize ans incapable de mentir avec conviction. Vous ne vous rendez pas compte qu'elle a grandi parce que vous vous êtes fermée à elle comme à tout ce qui vous entoure; vous ne voulez plus qu'on vous fasse du mal. Ne comprenez-vous pas que vous ne pourrez vivre de nouveau que si vous faites confiance, ne serait-ce qu'à une seule personne? Vous devez en courir le risque et j'ai bien cru que vous le feriez avec moi. Mais il n'en est pas question n'est-ce pas?

Vous préférez fuir et vous réfugier dans votre petit univers bien clos?

Médusée, elle demeura un instant sans voix, mais la rancœur reprit le dessus et elle releva le menton en un geste de défi.

– Comment osez-vous me le reprocher? Je vous ai fait confiance, c'est bien là le drame! Alors vous ne devez pas... vous... Je vous ai vraiment cru!

– Selon toute apparence, pas suffisamment!

– Je ne suis pas complètement idiote! Marilyn est une sérieuse tentation. Elle est ravissante, pleine de vie et convaincue qu'elle vous aime. Mais vous auriez pu vous souvenir qu'elle n'est encore qu'une enfant.

– Peut-être est-elle plus femme que vous, dit-il avec cruauté. Elle au moins, elle se bat pour ce qu'elle veut ou croit vouloir. Mais vous n'avez pas ce courage, n'est-ce pas? Vous préférez vous retirer dans votre coquille. Pour un peu, vous seriez partie sans même me dire pourquoi. Vous n'aviez qu'une idée en tête : filer. Et bien, allez-vous-en. Je m'en moque. Vous êtes lâche et j'ai mieux à faire qu'à essayer de gagner votre confiance et à vous traîner sur des pistes que vous auriez dû affronter seule depuis longtemps.

– Comment pouvez-vous dire des horreurs pareilles? gémit-elle en pâlissant et en se tordant les mains. Vous êtes trop cruel!

Un semblant de pitié lui adoucit les traits un instant, mais il lui tourna le dos et sortit en disant simplement :

– Au revoir, Eve.

Elle se retrouva seule, le cœur aussi vide que la pièce. Les affiches qui recouvraient les murs vantaient toutes les mérites incomparables de Vail. Elle étouffa un petit cri, ramassa son manteau et son sac et se précipita dehors. D'un pas mal assuré, elle courut vers le village. Elle avait hâte de se retrouver à Denver d'où elle n'aurait jamais dû partir. Elle détestait Vail. Tout ce qu'elle y récoltait, chaque fois qu'elle y venait, n'était que déception et douleur.

De retour chez son oncle, elle se jeta sur son lit et laissa libre cours aux sanglots qui l'étouffaient depuis la veille au soir. Pleurer était un luxe qu'elle se permettait rarement et, si les larmes apaisèrent un moment son désespoir, sa colère et sa rancœur étaient encore bien vivaces quand elle s'épongea les yeux. Les insultes de Bret résonnaient encore à ses oreilles et elle ne pouvait les chasser. Il s'était mal conduit : il avait séduit sa sœur et avait tenté d'en faire autant avec elle. Et pour couronner le tout, il l'avait traitée de lâche quand elle lui avait dit qu'elle ne voulait plus rien avoir affaire avec lui. Elle n'était pas lâche. Ce n'était pas possible.

Pourtant, honnête comme elle l'était, elle était bien obligée de reconnaître que, s'il ne l'y avait pas forcée, jamais elle n'aurait recommencé à skier. Cette pensée se mit à l'obséder. Peut-être n'avait-elle pas été aussi courageuse qu'elle se l'était imaginé pendant ces quatre années?

Elle se leva et, songeuse, regarda par la fenêtre. Tout à coup, il lui sembla essentiel de ne pas quitter Vail complètement vaincue, cette fois encore.

Ses sentiments pour Bret avaient fait éclore un nouveau rêve, bien différent. Il était aussi vain d'espérer en un avenir avec lui que de penser à danser. Mais si elle pouvait affronter seule les pistes de Vail avant de s'en aller, peut-être y puiserait-elle quelque réconfort. Du moins pourrait-elle se dire que Bret avait tort, qu'elle n'était pas lâche...

Il était 14 h 30. Si elle prenait son sac avec elle, elle aurait le temps de faire une descente avant le départ de son car à 17 heures. Voilà ce qu'elle devait faire. Bret n'en saurait jamais rien mais elle, elle saurait qu'il se trompait sur son compte. Et pour le moment, c'était tout ce qui importait.

Il avait fait beau toute la matinée, mais maintenant de gros nuages gris cachaient le soleil et les skieurs abandonnaient les pistes plus tôt que d'habitude. Cependant, il restait assez de courageux pour qu'il y ait encore la queue au télésiège. Pressée par le temps, elle n'hésita qu'un moment avant de se mettre dans la file la moins longue : celle de la piste noire, la plus difficile. Elle entendit quelques skieurs discuter entre eux avec inquiétude de l'état de cette piste, pleine de bosses aujourd'hui. Elle dut faire un effort pour calmer les sourds battements de son cœur et maîtriser son appréhension. Elle était parfaitement capable de faire cette descente, se répétait-elle. Après tout, son genou n'avait pas flanché, hier. La « noire » ne devrait lui poser aucun problème.

Sans cesser de se prodiguer des encouragements, elle s'installa sur le télésiège avec un skieur que deux de ses amis attendaient déjà en haut quand ils arrivèrent.

Ils gagnèrent le point de départ et elle les suivit, un peu en retrait. Elle enfonça son bonnet et ferma ses gants; elle voulait les voir partir pour juger d'après eux des difficultés à venir. Fatigués de l'attendre, ils s'élancèrent l'un après l'autre et la laissèrent seule dans le silence. Ils contournèrent à toute allure une énorme bosse et disparurent de sa vue.

Elle aurait dû louer des skis plus courts, se disait-elle tout en étudiant le chemin qu'elle allait prendre pour descendre, mais il était un peu tard pour y penser. Elle s'avança sur le bord de la piste.

– C'est à pic! murmura-t-elle.

En proie à un vertige passager, elle ferma les yeux puis se força à les rouvrir et se concentra. Elle devait y aller. Des nuages obscurcissaient le ciel et pour rien au monde elle ne voulait avoir à négocier tous ces virages dans la pénombre.

Elle avait été complètement folle de monter jusque-là mais, maintenant qu'elle y était, il ne restait plus qu'une chose à faire : descendre. Avec un peu de chance, elle y arriverait. Et sinon, elle aurait tout le temps de se désoler plus tard.

Des lumières commençaient à briller au village. Elle ne pouvait plus attendre. Elle prit une profonde respiration et poussa sur ses bâtons. Le départ fut brutal mais elle garda les yeux ouverts et ne pensa plus qu'à la piste devant elle. Ses skis étaient vraiment trop longs. Elle ne pouvait pas tourner en douceur autour des bosses. Et son genou ne lui semblait déjà plus ni aussi solide ni aussi souple. Jamais il ne résisterait jusqu'au bout.

En effet, il lâcha. A un quart du chemin environ, il céda sous elle; elle avait pris un virage à droite trop brusquement. Elle poussa un hurlement, tant la douleur était violente. Elle tomba et roula sur la neige glacée, rebondit sur un autre amas de neige et finalement glissa sur une vingtaine de mètres.

A bout de souffle, elle resta là, allongée sur le dos. Enfin, avec d'infinies précautions, elle remua les bras, puis la jambe gauche et fut soulagée de constater qu'ils fonctionnaient normalement. En fait elle n'avait mal que dans le genou droit, mais cela suffisait pour l'empêcher de descendre. Elle s'assit et se traîna de l'autre côté de la piste jusqu'à la lisière de la forêt. Adossée à un sapin, elle essaya de reprendre son souffle mais la souffrance était telle qu'elle se laissa aller à gémir.

Dieu seul savait où ses skis étaient allés se perdre quand ils s'étaient décrochés. Ils auraient pu lui permettre de se confectionner des attelles de fortune en attendant que quelqu'un vienne à son secours.

L'ombre s'étendait autour d'elle. Elle comprit enfin que personne ne descendrait plus. Elle avait été la dernière à prendre le télésiège, folle qu'elle était, et maintenant elle était bloquée là. Personne ne savait qu'elle était allée faire du ski et encore moins qu'elle avait été assez stupide pour se lancer sur la piste noire. Des heures pouvaient s'écouler avant qu'on ne songe à partir à sa recherche.

Elle regarda sa montre... 5 h 15. Un éclat de rire la secoua à l'idée qu'elle s'inquiétait de l'heure du car alors qu'elle était là, en passe de mourir de froid. Son rire résonna étrangement sous les arbres et se termina en sanglot.

Un peu plus tard, le ciel se mit de la partie : une fine neige commença à tomber et la température baissa encore. Eve enroula soigneusement son écharpe autour de son cou et serra les bras contre sa poitrine. Le froid pénétrant l'engourdissait. Un vent glacé se leva qui la fit frissonner. Elle ne pouvait pas rester là. Forte de cette conviction, elle essaya de se lever mais son genou ne la portait plus et la douleur irradiait dans toute sa jambe. Elle se rassit, à peine capable de se représenter vraiment sa situation.

La piste était beaucoup trop longue pour envisager de ramper jusqu'en bas. Elle aurait à peine fait la moitié du chemin qu'elle serait déjà épuisée. Son impuissance lui tira un sanglot. Elle ramena sa jambe gauche et se protégea la tête de ses bras, espérant ainsi retenir un peu de la chaleur de son corps. Plus le temps passait, plus elle avait sommeil. Elle essaya de se tenir éveillée, mais elle commençait à avoir moins froid et fut tentée de somnoler. Ses yeux refusaient de rester ouverts.

Tout à coup, elle entendit son nom. C'était sans doute ce qui l'avait réveillée car, en ouvrant les yeux, elle l'entendit à nouveau. Mais elle ne voyait devant elle que la piste et des bosses. Elle se retourna : sur la hauteur, une lumière clignotait...

Pleinement lucide cette fois, le cœur battant, elle essaya de crier. Seul un faible gémissement sortit de son gosier. Elle s'éclaircit la gorge, humecta ses lèvres gercées et fit une nouvelle tentative.

– Ici! En bas! cria-t-elle d'une voix encore

enrouée mais audible, cette fois. Ici! répéta-t-elle avec un soupir de soulagement en voyant la lumière s'arrêter puis se braquer dans sa direction.

– A quelle distance, Eve?

– A peu près au quart du chemin, lança-t-elle, tremblante, ayant reconnu la voix de Bret.

Elle entendit crisser des skis, puis le bruit cessa. Il s'était arrêté et dirigeait sa lampe vers les arbres.

– Un peu plus bas! Cent mètres environ...

Il la trouva enfin. Eblouie par la lumière, elle ferma les yeux. Bret retira ses skis et après les avoir fichés dans la neige, s'approcha d'elle.

– Mon Dieu! Que vous êtes-vous fait? s'exclama-t-il en s'agenouillant près d'elle. Est-ce que ça va? Allons! répondez! Ne vous endormez pas...

Elle cligna des yeux mais n'aperçut qu'une sombre silhouette qui se découpait sur la blancheur de la neige. Elle se sentait si ridicule qu'elle n'arrivait même pas à parler. Il insista avec douceur.

– Vous êtes blessée?

– C'est mon genou.

– C'est grave?

– Non, pas trop, mentit-elle.

Mais dès qu'il l'effleura, elle ne put réprimer un cri de douleur.

– Vraiment? J'ai à peine posé le doigt dessus que vous sautez déjà en l'air!

Il se releva, enleva sa veste et la lui enfila.

– Non... Ne faites pas ça..., murmura-t-elle en tremblant de tous ses membres. Vous allez geler en pull-over.

– Restez tranquille et ne vous rendormez pas. Je vais essayer de joindre la patrouille de secours avec mon talkie-walkie.

Il s'éloigna des arbres qui auraient gêné la transmission. En revenant, il lui glissa avec précaution un ski sous la jambe.

– Je n'ai rien pour le fixer mais la patrouille ne va pas tarder et ils vous feront une vraie attelle.

Il s'assit près d'elle et la serra dans ses bras pour la réchauffer.

– Je suis désolée de vous causer autant de tracas, murmura-t-elle.

– Il y a de quoi, répondit-il sèchement. Quel genre d'acrobatie avez-vous cherché à faire?

Pour toute réponse, elle haussa les épaules et ferma les yeux pour retenir ses larmes.

– Ne me tourmentez pas, Bret, je vous en prie. Je suis si fatiguée...

– Mais vous auriez pu vous tuer!

– Oui, mais je ne l'ai pas fait!

– Encore heureux, dit-il doucement en l'attirant à lui. Je suppose que je suis un peu responsable de tout ça, non? C'est à cause de ce que je vous ai dit?

– Je ne suis pas une lâche.

– Non, seulement complètement folle.

Elle n'eut pas la force de répliquer et s'endormit. C'est à peine si elle se rendit compte qu'on la mettait sur une civière et qu'on la descendait derrière un petit tracteur. Puis on la transporta en ambulance à l'hôpital. Quand le médecin commença à examiner son genou, la douleur la réveilla et elle réclama Bret.

– Il est là, derrière la porte, la rassura une infirmière en lui tapotant gentiment le bras. Dès que nous vous aurons radiographiée, vous pourrez le voir.

Cette promesse la soutint pendant tout l'examen. On lui fit une radio, on lui banda la jambe, et elle souffrit atrocement. Mais quand le calmant qu'on lui avait administré commença à agir, il eut également pour effet de la plonger de nouveau dans un état de profonde somnolence. On la transporta dans une petite chambre qui ressemblait fort à celle où elle avait séjourné quatre ans plus tôt. Elle était à peine installée dans son lit que sa tante s'approchait d'elle, très inquiète.

– Comment vas-tu, ma chérie? Tu nous as fait une de ces peurs! C'est quand Bret nous a dit que tu n'étais pas avec lui que nous avons compris que tu avais disparu.

– Je n'ai pas voulu vous effrayer, dit-elle en serrant la main de sa tante.

Eve regarda autour d'elle, cherchant Bret. Mais elle ne vit que Marilyn et son oncle. Où était-il? Elle n'eut pas le temps de poser la question que sa sœur s'approchait d'elle à son tour.

– Comment as-tu pu faire une chose aussi stupide? demanda-t-elle sans ménagement, mais malgré tout un peu émue. Je n'en croyais pas mes oreilles quand Bret m'a raconté qu'il t'avait trouvée en haut de la « noire ». Je pensais que tu savais que tu ne pourrais plus jamais descendre cette piste.

– Maintenant je le sais, répondit Eve avec un pauvre petit sourire.

Elle croisa le regard plus compatissant de son oncle.

– Pourrais-tu demander à Bret d'entrer une minute, oncle Jim? Je ne l'ai même pas remercié de m'avoir sauvée.

– Oh! il est parti dès que le médecin a annoncé que tu aurais peut-être besoin d'une opération cette fois-ci, intervint Marilyn, le visage impénétrable.

– On pourrait peut-être attendre un peu avant de parler de tout ça, déclara Miriam en toute hâte. Ne t'inquiète de rien. Tout ira bien. D'après le médecin, tu pourras rentrer à la maison dès demain. C'est une bonne nouvelle, non?

Eve hocha la tête. Mais lorsqu'elle se retrouva seule, elle enfouit son visage dans l'oreiller. Elle pleurait, non par crainte de l'intervention chirurgicale, mais à cause de l'indifférence de Bret. Elle aurait pourtant dû s'y attendre. N'avait-il pas déclaré ce matin qu'il avait mieux à faire qu'à perdre son temps avec elle?

De toute évidence, il n'avait pas parlé sous le coup de la colère : il pensait réellement ce qu'il disait...

7

Une semaine avait passé. Eve se déplaçait dans sa chambre, à cloche-pied, à l'aide d'une béquille, tandis que sa sœur, installée devant la coiffeuse, se brossait les cheveux.

Elle alla s'asseoir sur son lit pour étendre sa jambe. Marilyn la regarda faire avec une grimace :

– Quand pourras-tu enfin te passer de cette horrible béquille? Que dit le médecin?

– Il est plutôt vague, répondit Eve avec lassitude. Il veut sans doute s'assurer que mon genou est assez solide avant de m'autoriser à peser dessus. Mais ça va mieux; et j'ai beaucoup moins mal.

– Je ne comprends pas comment tu ne deviens pas folle à sautiller tout le temps sur un pied avec cet affreux machin, s'exclama Marilyn. A ta place, je grimperais aux murs!

– Dans ce cas, trouve-toi autre chose à faire que du ski de compétition. Sinon, un jour ou l'autre tu te blesseras comme tout le monde et il faudra bien que tu supportes tes béquilles.

Marilyn soupira, exaspérée.

– Tu ne vas quand même pas recommencer! Je ne te le conseille pas! Je ne suis pas disposée à t'écouter.

– Ce n'était pas mon intention, répliqua Eve sur le même ton. J'ai pris bonne note que tu n'avais que faire de mon avis et je ne me fatiguerai pas à te le donner.

Satisfaite, Marilyn sourit à son image dans la glace et se mit en devoir de se faire les yeux avec une extrême attention.

– Tu pourras rentrer à Denver avant Noël, comme prévu? demanda-t-elle brusquement.

– Non, on dirait bien que vous allez m'avoir sur les bras, répliqua Eve tristement. Le médecin m'interdit de passer trois heures dans un car. Et comme tante Miriam et oncle Jim ne peuvent pas me ramener pendant la période la plus chargée de l'année, il y a de grandes chances pour que je ne sois pas encore partie d'ici deux semaines.

– Maman et papa seront certainement contents de nous voir tous réunis.

Eve ne répondit pas. A quoi bon se lancer dans une discussion qui risquait de leur faire du mal à toutes les deux? Et qui par surcroît ne résoudrait rien. Elle soupira intérieurement. Quel gâchis que ces vacances tant attendues! Et depuis sa stupide mésaventure, Bret n'avait même pas donné signe de vie. Il aurait pu au moins décrocher le téléphone et prendre de ses nouvelles! Et elle-même n'avait pas le courage de l'appeler, ne serait-ce que pour le remercier. Elle ne supporterait pas d'entendre le son grave et mélodieux de sa voix.

Ces derniers jours, Marilyn avait à peine fait allusion à Bret et paraissait d'un calme inhabituel. Eve l'avait même surprise plusieurs fois, le regard perdu dans le vague, comme si quelque chose la préoccupait. Avait-elle peur d'être enceinte? Partagée entre l'envie de la réconforter et la jalousie qui la tenaillait, Eve n'avait pas réagi. Elles vivaient simplement l'une à côté de l'autre, plutôt comme de vieilles connaissances que comme deux sœurs. Eve trouvait cela bien dommage mais au moins vivaient-elles en paix.

– Tu n'as pas vu mes escarpins de daim noir?

demanda Marilyn qui fourrageait dans le placard. Il me les faut pour cette robe.

– Qu'est-ce que tu cherches? Je n'ai pas entendu, dit Eve, arrachée brusquement à ses tristes pensées.

– Mes escarpins noirs. Où sont-ils?

– Regarde sous le lit. En général, c'est là qu'aboutissent toutes tes affaires.

Sans relever la remarque, ce qu'elle n'aurait jamais manqué de faire auparavant, Marilyn se mit à genoux et passa la tête sous le lit.

– Seigneur Dieu! s'écria-t-elle, je vois au moins quatre paires de chaussures et l'écharpe rouge que je croyais avoir perdue à l'école!

– J'ai déjà expliqué à Roberta que tu avais l'intention d'ouvrir un magasin là-dessous.

En voyant sa sœur se relever, ses escarpins à la main, Eve fronça les sourcils.

– Tu ne pourrais pas ramasser le reste, pendant que tu y es?

– Plus tard. Je n'ai pas le temps. Sinon, je ne serai jamais prête quand Hank viendra me chercher.

– Hank? répéta Eve en se redressant aussitôt. Quel Hank?

– Hank Verdell, évidemment.

– Hank Verdell! Tu plaisantes ou quoi? Tu ne vas pas me dire que tu as l'intention de sortir avec cet individu? Ce n'est pas possible!

– C'est pourtant bien ce que je vais faire.

– Mais pourquoi? s'écria Eve.

Elle posa un pied par terre, attrapa sa béquille et suivit en clopinant sa sœur dans la salle de bains; Marilyn s'apprêtait à donner un coup de brosse à ses chaussures.

– Pourquoi Hank Verdell? Pourquoi justement lui?

Marilyn haussa les épaules.

– Il m'a invitée. Il dit qu'il m'a vue courir et qu'il veut me donner un ou deux tuyaux.

– Oh! pour l'amour du ciel, je ne peux pas croire que tu aies donné dans ce vieux truc! Hank ne peut rien pour toi. S'il veut te rencontrer, c'est pour des raisons parfaitement égoïstes, je peux te le garantir.

Passant à toute allure devant Eve, Marilyn retourna dans la chambre et grogna avec impatience :

– Pourquoi refuses-tu d'admettre que les hommes puissent me trouver séduisante? Tu pensais déjà que Bret ne m'entraînait que pour en tirer honneur et avantage. Tu t'es bien trompée, non? C'est la femme en moi qui l'intéresse, et c'est ce qui te tue!

– J'y survivrai, riposta Eve sèchement. Mais laisse-moi te poser une question. Si tu aimes tellement Bret, pourquoi sors-tu avec Hank?

– Parce que Bret est occupé et parce que ça lui fera du bien de voir que je plais aussi à d'autres.

– Ah! C'est donc ça! Tout ne va donc pas pour le mieux entre vous? Que se passe-t-il? Vous avez eu une querelle d'amoureux?

– Non, nous n'avons pas eu de querelle d'amoureux, répliqua méchamment Marilyn en attrapant son manteau. C'est ce que tu voudrais, non? Tu es jalouse! Tu n'en reviens pas qu'un homme qui te plaît puisse s'intéresser à moi.

– Rien ne me surprend plus, répondit calmement Eve, bien décidée à ne pas réagir aux insultes de sa sœur. J'espère simplement que tu ne laisseras pas Hank Verdell te mettre aussi dans son lit. Parce que c'est ce qu'il va essayer de faire.

– Je suis assez grande pour m'occuper de moi-même et j'irai au lit avec qui et quand ça me chantera, rétorqua Marilyn, prête à sortir.

Elle se retourna sur le pas de la porte avec un sourire un peu forcé :

– Si tu arrêtais de te faire du souci pour moi pour

te consacrer un peu à ta propre vie, pour changer? Elle en a bien besoin!

Furieuse et dégoûtée, Eve lui tourna le dos. Parfois Marilyn était vraiment trop stupide! Et sortir avec Hank était bien le comble de la stupidité.

Si seulement quelqu'un pouvait lui donner une bonne fessée! Eve se mit tout à coup à s'inquiéter sérieusement. Hank était un tel goujat! Marilyn saurait-elle se défendre ou tomberait-elle dans ses filets? Elle ne faisait preuve ni de beaucoup de bon sens ni de beaucoup de maturité ces derniers temps, en dépit de ses nouvelles expériences.

De plus en plus inquiète, Eve décida qu'elle ne pouvait pas rester là et laisser tranquillement Marilyn plonger tête baissée dans les ennuis. Mais elle ne pouvait rien pour sa sœur sans le secours de Bret. Il ne resterait pas indifférent au sort de Marilyn et accepterait certainement de la mettre en garde contre Hank. Le malheur, c'est que, pour obtenir son aide, il fallait aller le chercher... aller chez lui, frapper à sa porte... Quelle humiliation s'il ne la laissait entrer qu'à contrecœur... Mais que faire d'autre? Il était le seul à avoir de l'influence sur Marilyn. Eve n'avait pas d'autre recours.

Elle poussa un soupir de soulagement en apercevant, chez Bret, de la lumière aux fenêtres. Elle avait pris le risque d'arriver sans prévenir, de peur qu'il ne trouve une excuse pour refuser de la voir. Elle se passa nerveusement la main dans les cheveux et descendit lentement de voiture. Elle boitilla jusqu'à la maison en se mordant la lèvre : son genou lui faisait mal mais elle ne voulait pas se présenter à Bret avec sa béquille.

Elle frappa, espérant qu'il ne tarderait pas à ouvrir et qu'elle pourrait bientôt s'asseoir. Mais il ne répondit pas. Elle frappa à nouveau.

Soudain la lanterne extérieure vacilla et la porte

s'ouvrit. Pas rasé, vêtu d'une courte robe de chambre de velours, Bret apparut, le regard vitreux et las. Eve écarquilla les yeux.

— Oh! Bret, quelle mine vous avez! s'écria-t-elle en s'appuyant au chambranle pour franchir la dernière marche. Que se passe-t-il? Vous êtes malade?

Elle referma la porte derrière elle.

— J'ai pris froid, dit-il, la voix enrouée.

Ses yeux reprirent vie un instant pour la contempler des pieds à la tête. Et un pâle sourire lui effleura les lèvres.

— N'ayez pas l'air si catastrophé! Ce n'est qu'un rhume.

— Un très mauvais rhume, insista-t-elle gentiment.

Bret fut secoué d'une quinte de toux. Eve fit un pas vers lui, mais n'alla pas jusqu'au bout de son geste de peur de lui déplaire.

— Je vous ai tiré du lit?

— Je ne dormais pas, dit-il en passant une main dans ses cheveux ébouriffés. C'est difficile de dormir quand on passe son temps à tousser.

— Vous avez vu un médecin?

— A moins que l'on ait découvert un nouveau remède contre le rhume au cours de ces deux derniers jours, je n'en vois guère l'utilité.

— Oh! ne soyez pas si désabusé, lui reprocha-t-elle, prise d'un soudain désir de s'occuper de lui. Un médecin pourrait vous donner quelque chose pour calmer ces horribles quintes et vous éviter la pneumonie. Vous auriez dû vous soigner.

— Oui, m'dame, répondit-il, feignant la soumission.

Elle eut un geste agacé qui le fit sourire. Sans perdre son sérieux, elle lui fit signe qu'elle allait le raccompagner dans sa chambre.

— Je vais vous remettre au lit, déclara-t-elle fermement en s'aidant de la rampe pour monter l'escalier. Vous devez absolument rester au chaud.

– Etes-vous prête à m'y tenir compagnie? demanda-t-il avec un sourire à demi-moqueur. L'idée me paraît tout à fait alléchante!

– Je suis prête à vous border, un point c'est tout. Après quoi je tâcherai de trouver quelque chose pour calmer cette toux.

– Quelle déception!

– Je commence à croire que vous n'êtes pas aussi malade que je me l'imaginais.

– Je vous ai dit que j'ai un rhume. Je n'ai jamais prétendu être mourant!

Eve réprima un sourire. En arrivant devant la porte de la chambre, elle eut un mouvement de recul. Elle jeta un coup d'œil dans la pièce et ressentit un pincement de jalousie: Marilyn l'avait parfaitement bien décrite, avec son tapis de haute laine, ses murs lambrissés de bois sombre et son lit à colonnes. Non, décidément, elle ne pourrait pas entrer dans cette chambre où Bret et sa sœur avaient fait l'amour. Elle n'avait plus qu'une envie: faire demi-tour et se sauver à toutes jambes. Mais Bret se remit à tousser et elle se résigna à rester. Elle ne pouvait pas l'abandonner à lui-même, malade comme il était.

Quand il fut couché, elle ajouta un édredon sur le lit et s'assura qu'il était convenablement bordé. Parfaitement consciente qu'il ne la quittait pas des yeux, elle se précipita en rougissant dans la salle de bains à la recherche d'un calmant quelconque pour la toux. Elle revint, n'ayant trouvé en tout et pour tout que de l'aspirine.

– Vous permettez? Je vais voir ce que vous avez dans la cuisine...

Elle venait de se souvenir d'une vieille recette infaillible de sa grand-mère. Avant de sortir, elle ajouta:

– Je suis sûre que vous n'avez pas dîné. Je vais vous apporter quelque chose à manger.

– Ne vous donnez pas tout ce mal. Je n'ai pas très faim, de toute façon.

– Mais vous devez garder vos forces, insista-t-elle.

Il la remercia d'un sourire qui lui fit battre le cœur. Elle s'éloigna en boitant, furieuse contre elle-même.

La cuisine de Bret contenait tout ce que peut offrir le confort moderne tout en gardant un cachet rustique grâce à ses poutres apparentes et à ses placards de chêne.

Après avoir ouvert une boîte de soupe de poulet et l'avoir mise à chauffer, elle découvrit du miel dans l'armoire à provisions. Avec un peu de whisky qu'elle alla chercher dans le bar, elle prépara une mixture qui n'était guère appétissante mais qui pouvait servir de remède en attendant mieux.

Elle remonta dans la chambre. Bret toussait toujours. Elle posa le plateau sur une petite table et lui glissa des oreillers sous la tête. Assise au bord du lit, elle lui tendit le bol de soupe.

Il en prit quelques gorgées tout en l'observant.

– Et votre genou? Il vous fait très mal? demanda-t-il au bout d'un moment.

– Pas trop, mentit-elle sans le regarder. Bientôt il sera comme neuf!

– Allons, Eve, dites-moi la vérité. Le médecin prétend que vous aurez sans doute besoin d'une opération. Si j'en juge par la façon dont vous boitez, ce doit être vrai.

Elle se mordit la lèvre et haussa les épaules. La sympathie qui s'exprimait dans sa voix lui donnait envie de pleurer.

– Oh! ça ira, finit-elle par murmurer. L'opération ne sera peut-être pas nécessaire.

– Cela vous effraye, n'est-ce pas?

Ses paroles sonnaient davantage comme une

constatation que comme une question. Inutile de chercher à nier...

— Ma foi, j'essaie d'y penser le moins possible, dit-elle avec une gaieté forcée. Buvez plutôt ce potage pendant qu'il est chaud; après quoi je vous administrerai le remède miracle de ma grand-mère. Et ensuite, vous tâcherez de dormir.

A sa grande surprise, il obéit sans protester. Mais après avoir avalé la première gorgée de sa décoction de miel et de whisky, il lui adressa une grimace comique et se précipita sur le verre d'eau qui se trouvait à côté de lui, sur la table de nuit.

— Mon Dieu, qu'est-ce que c'est que cette horreur? s'exclama-t-il. Je n'aurais jamais cru que vous tenteriez de m'empoisonner!

— Oh! n'exagérons rien! Ce n'est pas si terrible et ça va sûrement vous faire du bien.

Comment allait-il accueillir maintenant ce qu'elle avait projeté de faire? Il n'y avait qu'un moyen de le savoir... Elle lui annonça brusquement :

— Je vais rester ici ce soir, Bret. Comme ça, si vous n'êtes pas mieux demain, je vous emmènerai chez le médecin.

— C'est vraiment ce que vous voulez? demanda-t-il en la regardant attentivement. Vous pourriez tout simplement me téléphoner demain matin pour prendre de mes nouvelles.

— Est-ce que Marilyn sait que vous êtes malade? Elle ne m'en a pas parlé.

— Elle est venue quelques minutes cet après-midi. Elle m'a proposé de rester mais je l'ai renvoyée. Elle a une compétition samedi. Ce serait stupide qu'elle attrape mon rhume.

— Evidemment, murmura Eve.

Mais qu'elle-même l'attrape, c'était sans importance... Pourquoi cette idée la faisait-elle tant souffrir?

Sur le point de sortir, elle demanda :

– Je suppose qu'il y a une chambre libre pour moi?

– La porte à côté.

– Dans ce cas, je vais me coucher, je suis très fatiguée. Mais je vais d'abord appeler tante Miriam pour la prévenir que je passe la nuit ici. Bonne nuit.

– Merci, Eve...

– Je vous dois bien ça... C'est grâce à vous si je ne suis pas morte gelée sur la « noire ». Après tout c'est peut-être là, quand vous m'avez donné votre manteau, que vous avez pris froid.

– Alors, si vous restez, c'est par gratitude? demanda-t-il très sérieusement. Pour payer une dette?

Immobile, elle le regarda sans répondre. Comme elle aurait aimé pouvoir lui donner ses vraies raisons! Finalement elle fit demi-tour et s'éloigna sans répondre.

Eve fut réveillée le lendemain matin par quelques pâles rayons de soleil. Elle se retourna et enfouit son visage dans l'oreiller : elle ne se sentait pas encore prête à affronter une nouvelle journée, ni surtout Bret. Elle n'avait pas passé une bonne nuit. Elle était restée allongée, pendant des heures, les yeux ouverts, pensant à lui qui se trouvait de l'autre côté de la cloison. Et quand enfin elle avait sombré dans le sommeil, elle s'était mise à rêver qu'elle entrait dans sa chambre et le trouvait au lit avec Marylin qu'il embrassait passionnément. Même maintenant, dans la lumière du matin, elle se sentait horriblement déprimée à ce souvenir.

Inutile d'essayer de se rendormir. Elle s'assit en soupirant et commença à masser sa jambe ankylosée. Mais elle s'arrêta aussitôt : elle venait d'entendre un bruit de chute dans la pièce voisine, suivi d'un silence menaçant.

Terrifiée à l'idée que Bret était peut-être tombé,

elle rejeta les couvertures et sauta du lit sans prendre garde à son genou. Elle se précipita dans la chambre voisine, certaine de le trouver étendu de tout son long par terre. Mais il n'y avait personne. La salle de bains! C'est là qu'il avait dû se trouver mal et se heurter la tête en tombant! Le cœur battant, elle traversa la pièce en courant. Elle allait mettre la main sur la poignée quand la porte de la salle de bains s'ouvrit. Bret écarquilla les yeux en la trouvant devant lui, la respiration haletante.

– Dieu soit loué! murmura-t-elle en comprimant d'une main les battements de son cœur. Je pensais que vous vous étiez blessé. Qu'est-ce que c'est que ce bruit épouvantable que j'ai entendu?

– J'ai laissé tomber quelque chose, répondit-il vaguement, d'une voix plus claire que la veille. Je suis désolé de vous avoir effrayée.

Elle se sentait très gênée maintenant de s'être ainsi laissée aller à la panique. Et quand elle se rendit compte qu'elle était vêtue seulement d'une chemise qu'elle avait découverte hier soir dans un tiroir, elle devint cramoisie. Avec un petit sourire d'excuse, elle recula.

– Je ferais bien d'aller m'habiller... Après, je vous préparerai votre petit déjeuner.

– Pourquoi êtes-vous si pressée? demanda-t-il doucement.

Il s'approcha d'elle et lui prit les mains. Elle pouvait à peine respirer sous son regard insistant. Il sourit.

– Vous savez que vous êtes très jolie, le matin au réveil?

– Oh! non, je... je suis horrible, protesta-t-elle, pas coiffée et...

– Et très séduisante dans ma vieille chemise, l'interrompit-il. Irrésistiblement séduisante, ajouta-t-il en la prenant par la taille et en l'attirant à lui.

– Bret, je... vous... vous avez l'air beaucoup mieux,

balbutia-t-elle. Nettement moins abattu. Comment vous sentez-vous?

– Très bien, murmura-t-il en posant ses lèvres au creux de sa joue. Et quand je vous aurai embrassée, je serai en pleine forme.

– Bret, je vous en prie, chuchota-t-elle, tremblante sous ses caresses. Laissez-moi aller vous préparer à déjeuner. Vous devez avoir faim.

– Oui, mais pas de ce que vous croyez, murmura-t-il en la serrant si fortement contre lui qu'elle ne pouvait douter de sa passion.

Elle gémit doucement, prise d'une envie lancinante de connaître l'accomplissement de ce désir. Elle caressa de la main sa joue fraîchement rasée et, en murmurant son nom, se dressa sur la pointe des pieds pour lui déposer un baiser dans le cou.

– Eve! gémit-il.

Sans la quitter du regard, il commença à lui déboutonner sa chemise. Au contact de sa main sur sa peau nue, elle eut l'impression de s'enflammer tout entière. Elle ferma les yeux et se serra contre lui, les lèvres entrouvertes, livrée à son désir.

– Vous êtes très belle! murmura-t-il.

Le souffle de Bret passait comme une caresse sur sa poitrine. Il lui dénuda les épaules et fit tomber la chemise à ses pieds, tandis que sa bouche traçait un chemin brûlant le long de son cou et de sa joue, jusqu'à ses lèvres dont il s'empara brusquement, avec une impatience fébrile.

Elle répondit à ses baisers avec une ardeur égale à la sienne. Un désir presque douloureux s'éveillait au plus profond d'elle-même, au point que, les jambes tremblantes, elle dut se raccrocher à lui en le prenant par le cou.

Ces formes douces et voluptueuses qui se pressaient contre lui arrachèrent un gémissement à Bret. Il passa la main presque brutalement sur son dos nu, puis, l'attrapant par les cheveux, il lui tira la tête en arrière pour embrasser la peau délicate et satinée de ses seins.

Eve gémissait doucement, envahie tout entière d'un plaisir sensuel qui paraissait courir dans ses veines. Elle lui ébouriffa sa crinière noire, dessina du doigt le contour de son oreille et glissa sa main sous sa robe de chambre pour caresser sa poitrine robuste et velue.

Bret se redressa brusquement et d'un seul mouvement l'attrapa dans ses bras et la déposa gentiment sur le lit. Effrayée, à la fois émue et gênée, Eve ferma les yeux. Il s'allongea près d'elle et posa la main sur sa taille dans un geste possessif. Elle rouvrit les yeux et rencontra son regard brûlant de tendresse et de passion.

Toutes ses craintes cédèrent brusquement, supplantées par l'envie irrésistible de lui laisser faire tout ce qu'il voudrait d'elle, de lui donner tout ce qu'il demanderait d'elle, de lui appartenir totalement et à jamais.

– Oui, Bret, murmura-t-elle en essayant d'une main tremblante de défaire la ceinture de sa robe de chambre.

Il se retourna vivement et, pesant de tout son poids sur elle, l'attira vers lui. Elle poussa un petit cri de frayeur et se raidit au contact de la force brutale de ce corps d'homme. Il lui sourit et tout en chassant une mèche de son visage murmura :

– N'ayez pas peur, Eve. Je ne vous ferai aucun mal.

Elle frémit et, fermant les yeux, s'abandonna totalement. Elle avait l'impression d'avoir attendu cet instant toute sa vie, d'avoir tenu en réserve toute la passion qui l'habitait pour la lui offrir en gage. Que Bret ne l'aime pas lui paraissait, en cette minute, sans aucune importance. Seul comptait son amour pour lui, un amour qui avait besoin de s'exprimer. Se redressant légèrement, elle posa un doigt tremblant sur sa joue.

– Bret, je...

Un baiser interrompit l'aveu qu'elle allait faire de son amour. Ce baiser, d'abord presque sauvage, devint de plus en plus tendre, de plus en plus doux.

– Enlevez-moi ma robe de chambre, lui ordonna-t-il d'une voix rauque en lui mordant la lèvre. Je veux vous aimer tout de suite, maintenant.

Sans hésitation, elle obéit et commença à faire glisser le vêtement de ses épaules. Mais tout à coup une exclamation de surprise l'arrêta net. Bret jura à voix basse et tourna la tête vers la porte.

Eve reconnut la voix de Marilyn qui se mit brusquement à crier :

– Oh! comment as-tu pu? Comment peux-tu? Je savais bien que que tu étais restée pour ça, je le savais!

– Mon Dieu, gémit Eve.

Pétrifiée, elle entendit sa sœur redescendre en courant l'escalier.

Elle jeta à Bret un regard horrifié. Le choc l'avait ramenée à la réalité et tirée brutalement de cet univers de plaisir sensuel où il l'avait entraînée. Une grosse larme roula sur sa joue.

– Mais qu'est-ce que je fais? C'est sa place à elle, pas la mienne!

– Que le diable vous emporte! grogna Bret, furibond.

Il se leva et, sans un regard en arrière, sortit en s'enveloppant dans sa robe de chambre. Eve l'entendit crier :

– Marilyn! Venez ici, bon sang! Vous allez m'écouter!

Restée seule, Eve se glissa sous les draps et se boucha les oreilles pour ne pas savoir comment il allait tenter de réconforter sa sœur. Elle avait failli croire qu'il tenait à elle plus qu'à Marilyn, mais toutes ses illusions s'envolaient maintenant en

117

fumée. C'était Marilyn qui l'inquiétait, c'était Marilyn qu'il cherchait à consoler...

Soudain, elle éprouva l'envie irrésistible de s'enfuir. Elle sauta du lit, sans égard pour la douleur qui lui tenaillait le genou, se précipita dans sa chambre et, les mains tremblantes, enfila son pantalon, son pull et ses bottes. Elle attrapa sa veste, son sac et courut, clopin-clopant, vers l'escalier.

Là, elle hésita un instant. Des voix assourdies lui parvenaient du salon. Elle descendit à pas de loup, retenant son souffle, et sortit sur la pointe des pieds par la porte de derrière.

Saisie par le froid, elle frissonna. Et ce n'est qu'une fois installée dans la jeep de son oncle, les mains crispées sur le volant, qu'elle laissa échapper enfin un petit sanglot désespéré.

8

C'était le matin de Noël. Debout à la fenêtre, Eve regardait sa sœur, son père et son oncle, occupés à fabriquer le bonhomme de neige aux formes étranges. Elle entendait sa mère et sa tante bavarder et rire dans la cuisine où elles prenaient le café. Elle n'était pas d'humeur à les rejoindre et se sentait physiquement trop handicapée pour participer à l'élaboration du bonhomme de neige.

La journée s'annonçait déprimante sans doute parce que, jusqu'à présent, Noël avait toujours été un jour de bonheur partagé avec tous ceux qu'elle aimait. Mais aujourd'hui, elle était seule. Bret n'était pas là et, d'ailleurs, il ne l'aimait pas. Jamais elle ne fêterait Noël avec lui. Bien pis, elle serait peut-être amenée à passer les fêtes en sa compagnie si ses relations avec Marilyn prenaient une tournure plus sérieuse. Cette perspective lui était insupportable.

Elle avait beau aimer sa sœur et lui souhaiter tout le bonheur possible, elle aurait préféré la voir heureuse avec quelqu'un d'autre que Bret...

Elle était jalouse, purement et simplement, mais elle ne pouvait s'en empêcher. Après tout, c'était Marilyn qui avait rencontré Bret la première et c'était Eve l'intruse... Alors pourquoi se sentait-elle comme trahie? Elle essayait de se consoler en se répétant que les choses auraient pu être pires : s'ils avaient fait l'amour, elle n'aurait pas pu l'oublier. Et malgré tout, elle ne pouvait s'empêcher, par moments, d'avoir des regrets : jamais elle ne saurait ce que l'on éprouvait à se donner à l'homme aimé...

– Zut! zut! zut! marmonna-t-elle en s'éloignant de la fenêtre.

Même l'énorme sapin gaiement décoré de guir-landes multicolores ne lui apportait aucun récon-fort. Heureusement, on en avait fini avec les pre-mières réjouissances de la journée : l'ouverture des cadeaux et le *brunch* de Noël, qui tenait lieu de petit déjeuner et de déjeuner. Il ne restait plus à venir que le grand dîner de famille. Mais même au milieu des siens, Eve se sentait seule et abandonnée. On aurait dit que ses relations tendues avec Marilyn déteignaient sur ses rapports avec les autres. Il n'échappait à personne qu'elle n'échangeait plus avec sa sœur que des propos polis et anodins, comme avec une étrangère.

Seules face à face dans leur chambre, la tension entre elles était presque tangible. Eve en souffrait beaucoup mais n'entrevoyait pas de solution. Leurs relations pourraient-elles jamais retrouver un cours normal?

En soupirant, elle alla chercher sous le sapin le nécessaire de broderie que son oncle et sa tante lui avaient offert. Au moins pourrait-elle occuper ses doigts, sinon son esprit.

Elle remonta dans sa chambre, s'installa sur son

lit et se mit à trier les fils et les couleurs. Mais il lui était très difficile de se concentrer : il lui semblait à chaque instant voir entrer Marilyn.

Par bonheur, l'après-midi de Noël, toute la famille allait traditionnellement faire du ski. Elle jouirait ainsi de quelques heures de tranquillité pendant lesquelles elle n'aurait pas à faire semblant d'être de bonne humeur. Et elle n'aurait pas non plus à redouter une autre conversation comme celle qu'elle avait eue au début de la matinée avec sa mère.

Celle-ci était par trop perspicace. Elle voyait tout, et ce qu'elle ne voyait pas, elle le sentait. Non seulement elle avait remarqué le froid qui régnait entre Marilyn et Eve mais elle avait deviné que cela n'était pas sans rapport avec Bret. Eve n'avait pas cherché à dissimuler ses propres sentiments pour lui, mais pour ce qui était de Marilyn, sa mère avait jugé proprement ridicule l'idée qu'elle pouvait être sérieusement amoureuse. D'abord, Bret était trop vieux pour elle et ensuite Marilyn avait la manie de tomber amoureuse tous les huit jours. Quant à Eve, eh bien elle ne devait pas non plus tenir tellement à Bret si elle était prête à le perdre sans se battre, même si ce combat devait être mené contre sa sœur. De plus, avait fait valoir sa mère, si Bret s'était réellement intéressé à Marilyn, elle n'aurait pas éprouvé le besoin de chercher à le rendre jaloux en sortant avec Hank Verdell.

Cette belle logique avait un instant rendu l'espoir à Eve; malheureusement, la logique n'avait pas grand-chose à voir avec le comportement de Marilyn. Elle avait dix-sept ans et se laissait guider par ses émotions. Elle avait pu avoir envie de rendre Bret jaloux sans raison bien précise. Si Mme Martin ne le saisissait pas, Eve, elle, connaissant sa sœur, ne la comprenait que trop bien. Ce qui la laissait comme devant : seule et sans espoir.

Eve piquait une dernière épingle à cheveux dans son chignon, quand on sonna à la porte.

Elle était presque prête : elle avait déjà mis sa jupe longue écossaise et son chemisier de soie blanche, le plus habillé qu'elle possédait. Elle enfila rapidement sa veste de velours noir.

Il y avait déjà eu deux visites depuis que la famille était partie faire du ski, des amis de son oncle et de sa tante qui venaient présenter leurs vœux et qu'elle avait reçus avec plaisir. Ils l'avaient heureusement délivrée de cette broderie à laquelle elle n'avait pas le cœur de s'intéresser aujourd'hui.

Elle s'arrêta une seconde devant le miroir du hall pour rajuster son col de dentelle et vérifier sa coiffure, puis elle alla ouvrir. Elle étouffa une exclamation.

– Bret!...

Elle eut l'impression que son cœur avait cessé de battre pendant quelques secondes. Elle s'attendait à tout, sauf à se trouver en face de lui. Elle resta là, plantée, à le regarder d'un air égaré.

– Je... je pensais que vous étiez... à Idaho... pour les vacances, finit-elle par articuler. Pourquoi? Je veux dire, pourquoi n'êtes-vous pas parti?

– Mes parents n'y sont pas cette année, répondit-il en l'examinant nonchalamment des pieds à la tête. Ils sont allés dans le Vermont voir ma sœur qui vient d'avoir un bébé. Je ne pouvais pas faire un aussi long voyage...

– Oh! je vois, murmura Eve qui s'éclaircit la voix sans aucune nécessité.

Nerveuse, elle soutenait difficilement son regard et fut tentée de refermer la porte sur lui. A coup sûr, il l'imaginait en ce moment telle qu'il l'avait vue la dernière fois, et cette idée lui paraissait insupportable.

– Marilyn n'est pas ici, déclara-t-elle enfin en rougissant légèrement. Elle est aller skier avec...

– Je sais, je les ai vus, l'interrompit-il en faisant un pas en avant. Puis-je entrer? Toute la chaleur va s'en aller si vous laissez la porte ouverte comme ça.

– Oh! mais oui, entrez, excusez-moi, balbutia-t-elle.

Elle s'effaça pour le laisser passer et recula encore quand son bras la frôla. Il s'arrêta au beau milieu du hall et attendit.

– Donnez-moi votre manteau...

Il sourit brusquement.

– Ce serait avec plaisir si j'en avais un, mais...

– Suis-je bête! Evidemment, vous n'avez qu'un pull-over...

Les joues en feu, elle le précéda dans le salon.

– Asseyons-nous... Voulez-vous que j'aille vous chercher un café ou autre chose?

– Merci, je ne veux rien.

Eve s'assit sur le bord d'un fauteuil et Bret s'installa sur le canapé, les jambes allongées devant lui. Elle se torturait l'esprit pour trouver quelque chose d'intelligent à dire et ce qui vint n'était pas particulièrement inspiré :

– Vous avez rencontré la famille? Vous aussi vous avez fait du ski?

– Pendant près de deux heures, répondit-il, l'œil toujours rieur... Miriam et Jim attendaient le télésiège quand j'ai fini ma dernière descente. Comme ils m'ont dit que vous étiez seule à la maison, j'ai décidé de vous faire une petite visite.

Craignant d'avoir à mettre la gentillesse de son ton au compte de la pitié, elle se raidit et le regarda bien en face.

– Je reste seule volontiers. Il ne fallait pas vous croire obligé de venir.

Il hocha la tête et marmonna quelque chose entre ses dents.

– Je n'ai pas l'intention de me disputer avec vous un jour de Noël, Eve. Alors tâchez d'être moins susceptible. Je suis venu parce que j'en avais envie et pas parce que je me désolais pour vous. Je ne veux pas avoir à le répéter, c'est compris?

Elle ouvrit de grands yeux et s'enfonça dans son fauteuil, étonnée d'accepter sans protester son ton autoritaire. Elle ne l'aurait admis d'aucun autre homme. Peut-être après tout ne désirait-elle pas non plus passer ce jour de fête en disputes?

– J'ai un cadeau pour vous, annonça Bret en se levant pour prendre dans sa poche un petit écrin de velours noir qu'il lui tendit. J'espère qu'il vous plaira.

– Merci, murmura-t-elle.

Elle attendit d'être revenue de sa stupeur pour aller ramasser un petit paquet sous le sapin de Noël.

– Moi aussi, j'ai quelque chose pour vous, dit-elle timidement. Je... je ne savais pas si j'aurais l'occasion de vous l'offrir mais...

– Merci beaucoup, murmura-t-il d'une voix légèrement altérée. Si nous les ouvrions en même temps? Qu'en pensez-vous? suggéra-t-il en souriant.

– D'accord. Je vous laisse enlever le papier d'abord, dit-elle en lui rendant son sourire.

Puis, très curieuse de savoir ce qu'il lui offrait, elle ouvrit l'écrin. Les mains tremblantes, elle découvrit une broche d'or et de brillants en forme de flèche. Quelques rayons de soleil tombèrent sur les diamants mais l'arc-en-ciel réfracté par la lumière fut soudain brouillé par les larmes qui lui montèrent aux yeux. C'était un si fabuleux cadeau qu'elle avait du mal à croire qu'il lui était vraiment destiné. Sentant qu'il l'observait, elle leva les yeux vers lui sans pouvoir prononcer une parole.

– Elle vous plaît? demanda-t-il doucement. Dès

que je l'ai vue, j'ai pensé qu'elle était faite pour vous.

Elle ne pouvait quand même pas lui être tout à fait indifférente s'il lui faisait un si merveilleux présent! Un sourire radieux illumina brusquement ses traits délicats.

– C'est extraordinaire. Je l'adore. Merci, Bret.

A son tour, il examina la médaille d'or à l'effigie d'Ullr, le dieu norvégien des skieurs, qu'elle lui avait offerte et effleura du doigt les détails de la gravure. Puis il se passa la chaîne autour du cou.

– Et merci à vous aussi, Eve. Elle me portera bonheur la prochaine fois que je serai sur mes skis.

– Je parie que vous en avez déjà une, dit-elle en s'excusant presque. Après l'avoir achetée, je me suis souvenue que la plupart des skieurs refuseraient d'aller sur les pistes sans ce fétiche.

– Je porte toujours celui-ci, reconnut-il en lui montrant un médaillon d'argent cachée sous son pull. C'est mon entraîneur qui me l'a donné, il y a des années.

– Alors rendez-moi le mien, proposa-t-elle d'un ton qui laissait percer sa déception. Je vous en prie, je l'échangerai avec plaisir contre autre chose.

– J'ai une meilleure idée...

Il retira sa chaîne, s'approcha d'elle et la lui mit au cou.

– Je garderai le vôtre et vous porterez le mien.

– Oh! mais non! c'est impossible, s'exclama-t-elle en essayant de rester insensible à sa présence toute proche et à ses mains qui lui frôlaient la poitrine tandis qu'il mettait le médaillon en place. Il doit représenter beaucoup pour vous si vous le portez depuis tant d'années... Je ne peux pas l'accepter.

– Mais moi, j'y tiens, insista-t-il en traçant du doigt sur son cou le chemin de la chaîne. Je veux porter le vôtre et je veux que vous gardiez le mien.

124

– Mais Marilyn...

– C'est à vous que je l'offre, pas à Marilyn, murmura-t-il en lui frôlant les lèvres.

Puis il l'embrassa et, l'espace d'un instant, elle répondit avec transport à son baiser. Mais, quand elle sentit qu'il passait son bras autour de sa taille, la raison reprit le dessus. Elle le repoussa et baissa les yeux pour cacher la tristesse qu'il aurait pu y lire.

– Je vous en prie, je ne peux pas, pas après...

– Il faut que nous parlions de ce qui est arrivé l'autre jour, dit-il en lui relevant le menton. J'ai demandé à Marilyn de s'expliquer avec vous mais, de toute évidence, elle ne l'a pas fait.

Eve essaya en vain de sourire.

– Marilyn ne m'adresse la parole que lorsqu'elle ne peut pas faire autrement. Et je ne peux pas la blâmer... après ce qu'elle a vu. D'ailleurs, à quoi cela servirait-il de remuer tout ça?

– A beaucoup de choses, si vous vouliez bien m'écouter. Je dois vous dire...

– Ne vous excusez pas, je vous en prie! Je comprends très bien ce qui s'est passé. J'étais là, en chemise... Ce sont des choses qui arrivent...

– Oh! Si vous vouliez bien vous taire trois secondes et écouter! grogna-t-il en la fixant d'un œil perçant. J'ai beaucoup à dire et...

Il fut interrompu par un bruit de claquements de portières. Eve voulut en profiter pour lui échapper mais il la retint par la main.

– Venez faire un tour en voiture avec moi, tout de suite, dit-il d'un ton pressant. Nous ne pourrons pas parler devant tout le monde.

– Voilà qui ne plaira guère à Marilyn, j'imagine, répliqua-t-elle en jetant un coup d'œil vers la porte. De toute façon, c'est inutile. Je vous assure que je comprends.

Dans un mouvement impulsif, elle l'embrassa sur la joue.

– Et merci pour vos deux cadeaux.

– Eve, écoutez-moi!

Mais elle avait réussi à lui échapper et s'éloignait déjà. Il n'eut pas le temps de faire un pas pour la rattraper que la porte d'entrée s'ouvrait. Marilyn arrivait droit sur lui.

Eve, fixant sans le voir l'arbre de Noël, se mordait la lèvre. Elle aurait de loin préféré que Bret n'ait pas cru devoir faire un détour et ne se soit pas donné la peine de venir la voir.

9

La veille de la Saint-Sylvestre, Marilyn rentra particulièrement tôt, avant minuit. Depuis une semaine, elle était sortie tous les soirs avec Hank jusqu'à plus de une heure du matin, en dépit des protestations de sa mère. En l'entendant entrer, Eve, intriguée, leva les yeux de sa lecture.

– Comment se fait-il que tu sois là si tôt? demanda-t-elle gentiment, oubliant que sa sœur lui répondait maintenant par des paroles incompréhensibles.

Mais cette fois-ci ce fut différent. Tout en retirant son pull-over, elle rit distinctement:

– Je suis un peu fatiguée, ce soir.

– Tu n'es pas malade au moins? demanda Eve, inquiète. Tu es toute congestionnée.

– Tu crois?

Marilyn s'assit à sa coiffeuse et s'inspecta soigneusement.

– J'ai les joues un peu rouges; ce doit être le vent. Il fait très froid. Je ferais bien de me mettre de la crème.

Sa voix tremblait légèrement. Eve la regarda d'un œil soupçonneux.

— Tu es sûre que tu n'as pas de fièvre? insista-t-elle en mettant le pied par terre. Tu ne veux pas que j'aille chercher maman?

— Je ne veux pas de maman ici. Laisse-moi tranquille. Je vais très bien.

Non, elle n'allait pas bien, Eve en était sûre. Quelque chose la préoccupait. Elle était d'une maladresse inhabituelle, n'arrivait pas à revisser le couvercle de son pot de crème, finit par le reposer violemment sur sa coiffeuse, prit sa brosse à cheveux et la laissa tomber.

— J'imagine que tu n'as aucune envie de me raconter ce qui t'ennuie, avança Eve prudemment. Je ne demande pas mieux que de t'écouter, si tu veux.

Les yeux rivés au sol, Marilyn haussa les épaules.

— Tout va bien, je t'assure. Je te l'ai dit, je suis seulement un peu fatiguée.

— Oui, tu me l'as dit, répéta Eve, sceptique. Et maintenant, si tu m'expliquais ce qui s'est passé avec Hank? Vous avez eu un conflit?

— On peut appeler ça comme ça, oui.

— Pourrais-tu être un peu plus explicite?

— Oh! tu connais Hank. Il est exaspérant parfois, quand il devient un peu trop entreprenant.

— Il est entreprenant, c'est entendu. Et prétentieux et exigeant, et il s'imagine que toutes les filles attendent le cœur battant qu'il veuille bien les mettre dans son lit. C'est ça ton problème? Il voulait que tu passes la nuit avec lui?

— Si on veut...

Marilyn se mordit la lèvre et devint cramoisie. Eve fronça les sourcils. Quelle drôle de réaction pour une fille soi-disant si pleine d'expérience! Mais peut-être Hank avait-il simplement été trop brutal. Il n'y aurait rien eu là de surprenant. Si seulement il avait laissé entrevoir à Marilyn à quel point il était égoïste et impatient! Peut-être comprendrait-elle enfin qu'elle ferait mieux de l'éviter.

– Je suppose que cela signifie que nous ne verrons pas ce cher vieux Hank à la soirée de tante Miriam demain, remarqua Eve en passant. Après cette dispute, il ne doit guère avoir envie de se montrer, non?

– Ma foi, je lui conseille de venir, dispute ou pas. Il le doit. Il l'a promis.

Eve fit la grimace.

– En quoi est-ce si important de nous embarrasser de cet horrible personnage?

– Ça l'est, c'est tout. Je veux qu'il vienne.

– Tu espères encore rendre Bret jaloux? Tu ne penses quand même pas que ça peut marcher?

– Peut-être pas, concéda-t-elle bizarrement. Ce qu'il y a de sûr, c'est que Bret n'aime pas Hank. Il dit toujours du mal de lui.

– Cela prouve qu'il est bon juge. Tu devrais te fier à lui. Cesse de voir Hank, Marilyn, je t'en prie. C'est un homme sans scrupules.

– Ne t'inquiète pas! Je suis assez grande pour m'en arranger et j'ai une bonne raison pour le voir. Encore un jour et...

Eve se raidit, troublée par le ton mystérieux de Marilyn.

– Encore un jour, et quoi? Qu'est-ce qu'il y a? Qu'est-ce que tu mijotes?

– Ecoute, Eve... commença brusquement Marilyn, l'air renfrogné. Oh! peu importe! soupira-t-elle en secouant la tête. Fais-moi confiance. Je sais ce que je fais.

Nullement convaincue, Eve allait poursuivre la discussion mais elle se ravisa. Marilyn n'écouterait pas, quels que soient les avertissements qu'on lui prodiguerait. Elle était encore assez jeune pour se croire invincible. Qui sait? Avec beaucoup de chance, le jeu dangereux qu'elle jouait avec Hank et Bret ne tournerait peut-être pas forcément à la catastrophe.

Il y avait beaucoup de monde à la réception de Nouvel An de Miriam Martin. Les invités avaient investi le salon et même le bureau. Eve n'arrivait pas à se frayer un chemin parmi eux : chacun l'arrêtait pour prendre des nouvelles de son genou si bien que, n'ayant pas trouvé le moyen de s'asseoir, elle finit par en souffrir pour de bon. Finalement, elle réussit à s'emparer d'une place sur le canapé qu'une amie de sa tante venait justement d'abandonner.

Elle s'assit avec un soupir de soulagement et allongea sa jambe autant que possible sans que cela soit choquant. Mais le repos n'arrangea pas grand-chose; elle avait toujours aussi mal. Que n'était-elle sur son lit avec l'emplâtre de Roberta! De toute façon, elle n'était pas d'humeur à festoyer. Elle se sentait de plus en plus triste, au fur et à mesure qu'approchait le moment de son départ de Vail. Peut-être ne reverrait-elle plus jamais Bret après cette soirée. Si toutefois il venait... D'ailleurs, s'il venait, que pourrait-elle lui dire? Au revoir... Quoi d'autre? Elle n'en mourait pas moins d'envie de le voir une dernière fois...

Elle éprouva le besoin de toucher la broche qu'il lui avait offerte et qui brillait de tous ses feux sur sa robe de jersey bleu nuit. Pourquoi lui avait-il fait un si beau cadeau? se demanda-t-elle une fois de plus. C'était d'autant plus étrange qu'il avait offert à Marilyn quelque chose de tout à fait impersonnel, un porte-skis. Peut-être se sentait-il coupable envers elle et voulait-il se racheter?

Eve essayait de reléguer au fond d'elle-même ces pensées lugubres quand Hank Verdell vint s'asseoir brusquement à côté d'elle.

Eve lui lança un regard furibond et n'eut plus qu'un désir : fuir. Elle voulut mais il l'attrapa par le bras et la fit rasseoir brutalement.

— Où cours-tu? murmura-t-il, les yeux rivés sur son décolleté. Pourquoi n'es-tu jamais là quand je viens chercher Marilyn? Qu'est-ce que cela signifie? Cela te rend encore jalouse que je sorte avec une autre fille?

Elle le regarda sans mot dire, médusée : il ne plaisantait pas! Il la croyait réellement jalouse... Elle résista à l'envie de lui faire comprendre à quelle espèce d'engeance stupide il appartenait : mais cela ne pourrait que provoquer une scène et il n'en valait pas la peine. Elle dégagea son bras, se glissa à l'autre extrémité du canapé et tourna ostensiblement la tête pour bien lui signifier qu'elle ne lui adresserait pas la parole.

— Marilyn est loin d'être un glaçon comme toi, tu sais, murmura-t-il d'un ton lourd de sous-entendus. Tu as toujours été un vrai rabat-joie, mais elle ne demande pas mieux que prendre du bon temps.

Eve n'y résista pas. Son instinct protecteur se réveilla et, les yeux flamboyants, elle s'écria :

— Pourquoi ne la laisses-tu pas tranquille? Il ne manque pourtant pas de femmes, ici, disposées à te donner tout ce que tu désires! Marilyn n'est encore qu'une enfant!

— Plus pour longtemps, à l'allure où elle va, ricana-t-il. Elle n'est pas comme toi. Elle n'a pas peur, elle, de devenir une femme. Elle ne demande que ça, au contraire.

— Et bien sûr, tu penses que c'est toi qu'elle choisira pour ça, répliqua Eve avec une ironie cinglante.

Elle faillit lui parler des relations de sa sœur avec Bret. Elle se retint mais elle voulait à tout prix lui assener quelque chose qui dégonflerait sa superbe.

— Eh bien, il vaut mieux que tu n'y comptes pas. Marilyn est loin d'être sotte et elle sait bien que le dernier des derniers au monde est encore préférable à toi.

— Allons! Arrête ce petit jeu stupide! Nous pourrions passer de si bons moments ensemble!...

Il lui posa la main sur la cuisse et sourit quand elle l'en chassa d'une tape.

— Nous n'avons pas exactement la même conception de ce que tu appelles des bons moments... Et tu as intérêt à ne pas oublier que ma sœur n'a pas encore dix-huit ans. Mon père te déteste et il n'hésitera certainement pas à te poursuivre pour détournement de mineure.

— Un peu usée ta menace, riposta Hank. Je l'ai déjà entendue trop souvent! Je ne crois pas que ton père irait claironner partout que sa charmante petite Marilyn a le sang chaud.

Les doigts la démangeaient : que n'aurait-elle donné pour effacer de son visage ce sourire satisfait! C'était bien l'homme le plus haïssable et le plus fieffé menteur qu'elle ait jamais vu. Il exagérait certainement son succès auprès de Marilyn. Il y a quatre ans, à l'entendre, il avait été l'amant de toutes les femmes de Vail. Mais même si ces fanfaronnades n'impressionnaient pas Eve, il pouvait effectivement faire souffrir Marilyn et elle répugnait à rentrer à Denver en laissant sa sœur dans une telle situation.

— Je t'en prie Hank, laisse-la en paix! murmura-t-elle tout à coup en l'implorant du regard. Amuse-toi donc avec quelqu'un de ton âge!

Ses yeux se mirent à briller.

— Je me demandais quand tu me proposerais enfin de prendre sa place! déclara-t-il effrontément en lui passant un bras autour de la taille. Je suis d'accord pour la substitution...

— Imbécile! Je n'ai jamais dit ça! grommela-t-elle, furieuse en se débattant. Si tu ne me lâches pas immédiatement, je vais te ridiculiser devant tout le monde!

– Vous avez certainement la manière avec les femmes, Verdell, intervint brusquement Bret d'un ton méprisant. Chaque fois que je vous rencontre avec Eve, je la trouve quasiment en train de défaillir de bonheur dans vos bras.

Même Hank, pourtant immunisé contre ce genre de remarques, fut sensible au sarcasme. Il relâcha Eve en marmonnant quelque chose entre ses dents, se leva et alla se perdre dans la foule. Bret prit sa place.

– Il faut que vous parliez à Marilyn! s'écria Eve avec chaleur. Vous considérez sans doute Hank comme un personnage ridicule mais, croyez-moi, il est égoïste et sans pitié. Il va blesser Marilyn, si vous ne l'empêchez pas de le voir.

Bret hocha la tête et lui prit la main.

– J'ai bien essayé de lui dire qu'elle jouait avec le feu. Malheureusement, elle n'écoute rien.

– Alors il faut l'y obliger!

– Contrairement à ce que vous pensez, Eve, Marilyn ne m'appartient pas, répondit Bret avec quelque impatience. Je peux lui donner des conseils mais je n'ai pas le pouvoir de la forcer à les suivre.

– Mais vous...

Le regard sombre et indéchiffrable, il l'interrompit en changeant.

– Marilyn m'a dit que vous rentriez demain à Denver. C'est vrai? Vous partez?

– Oui, je m'en vais.

– C'est ce que vous voulez?

– Je... mon travail m'attend, répondit-elle évasivement en détournant les yeux. Je dois rentrer.

– Mais le désirez-vous?

– Il le faut.

– Enfin, Eve! Pourquoi répondez-vous toujours à côté? murmura-t-il, les dents serrées. C'est insupportable cette manie que vous avez de toujours cacher vos sentiments. Pouvez-vous dire si oui ou non vous êtes contente de vous en aller?

– Oui, je suis contente, affirma-t-elle, laissant parler son orgueil mais évitant toujours son regard.

– Dites-le-moi en face et peut-être alors vous croirai-je... riposta-t-il en lui tournant de force le visage vers lui.

– Que voulez-vous que je vous dise? s'exclamat-elle d'une voix basse et contrainte. Vous devriez être heureux. Marilyn sera certainement plus facile à manier après mon départ. Et si vous vous sentez coupable à cause de ce qui s'est passé entre nous, vous avez tort. Je n'ai plus quinze ans et je sais que l'attirance physique entre deux êtres ne signifie pas grand-chose.

– Vraiment?

– Vraiment.

Elle se forçait à mentir, malgré l'envie qu'elle avait de sentir ses bras autour d'elle et ses lèvres sur les siennes. Il était si séduisant, ce soir, avec son pantalon noir moulant et son fin chandail crème! Elle se retint à grand-peine de poser la main sur sa poitrine. Jamais plus elle ne serait si près de lui... Quelque chose de ce désir qu'elle avait de le toucher devait se lire dans ses yeux...

– Vous avez une façon de mentir si convaincante! murmura-t-il tendrement en lui passant la main dans les cheveux. Et si je vous embrassais pour voir si vous trouvez toujours que l'attirance physique ne signifie rien?

Il se rapprocha d'elle. Eve poussa un cri étouffé et agita la tête pour l'arracher à ses caresses.

– Allez embrasser Marilyn! Ce doit être plus agréable avec elle parce que ce n'est qu'un début. Avec moi, c'est sans surprise.

– Vous vous conduisez comme une enfant! grondat-il durement. S'il n'y avait pas tant de monde, je vous traiterais comme telle et je vous donnerais une bonne fessée! En fait, j'en ai même tellement envie qu'il vaut mieux que je m'en aille avant de céder à la tentation, avec ou sans spectateurs. Faites bon voyage, ajouta-t-il en se levant et en lui jetant un regard furieux.

Avant qu'elle ait pu proférer un son, il était parti, la laissant là, les mains crispées sur les genoux. Ce n'est pas ainsi qu'elle avait projeté de lui faire ses adieux. Il aurait fallu se montrer sereine, accepter qu'il l'embrasse, au lieu de se laisser aller à la panique. Elle se sentait oppressée, profondément humiliée. Incapable de rester en place, elle se précipita vers la cuisine. Mais Marilyn la rattrapa.

– Je t'ai cherchée partout! Viens un instant. Je veux te faire rencontrer quelqu'un.

Eve la suivit sans enthousiasme, au salon où il ne restait plus que des jeunes. Les parents avaient fui le bruit et s'étaient réfugiés dans le bureau. Marilyn l'amena jusqu'à un grand jeune homme mince, au nez busqué et au charmant sourire.

– Eve, je te présente Robin Whitney, photographe pour un magazine de ski. Il est de New York, déclara Marilyn, surexcitée. Et voilà ma sœur. Eve! tu ne devineras jamais! Robin a fait des tas de photos de moi cet après-midi et quelques-unes paraîtront peut-être dans son journal.

– J'espère bien! intervint Robin. Sinon j'aurai usé beaucoup de pellicule pour rien.

Marilyn, aux anges, se mit à rire et à agiter les mains.

– Et écoute ça! Robin dit que je pourrais faire un merveilleux mannequin, que je corresponds exactement à ce que cherchent toutes les agences. Tu te rends compte!

– Elle est vraiment parfaite, approuva Robin avec enthousiasme en considérant d'un œil connaisseur la silhouette élégante de Marilyn. Regardez-moi ces hanches! ajouta-t-il en la faisant pivoter sur elle-même. Elles sont minces mais suffisamment galbées pour qu'on ne la prenne pas pour un garçon.

Eve, jetant un coup d'œil à sa sœur, s'aperçut avec stupeur qu'elle était rouge jusqu'aux oreilles et évitait le regard de Robin. Etrange réaction, encore une fois, pour une fille qui prétendait avoir un amant. Tout à coup, Eve se demanda si elle avait eu raison d'ajouter foi à l'histoire de ses relations avec Bret. Un doute s'infiltrait dans son esprit qui méritait d'être pris en considération. Malheureusement, ce n'était pas le moment, d'autant qu'un camarade de classe de Marilyn était venu l'inviter à danser. En s'éloignant, elle lança à sa sœur :

– Tiens compagnie à Robin pour moi, Eve. Tu veux bien?

– Asseyons-nous, suggéra-t-elle à Robin avec un sourire. Vous me raconterez votre vie de photographe.

Ils allèrent s'installer sur le canapé.

– En vérité, je préférerais vous parler de votre sœur, si ça ne vous ennuie pas, dit-il en suivant Marilyn des yeux. J'étais sérieux, vous savez, quand je lui ai dit qu'elle pourrait devenir mannequin. Ce n'était pas un hameçon que je lui tendais.

– Je n'en ai pas douté, répondit Eve un peu confuse. Marilyn est assez séduisante, assez grande et assez gracieuse pour ça. Mais que vous importe que je vous croie ou non?

– Parce que je compte un peu sur vous pour m'aider à la convaincre de venir à New York quand elle aura terminé ses études, au printemps prochain, avoua-t-il un peu gêné. Je suis en rapport avec quelques agences. Ils sont vraiment à la recherche de jeunes filles typiquement américaines.

– Je reconnais que cela vaudrait la peine d'essayer, mais je crains de ne pas avoir beaucoup d'influence sur elle en ce moment. Et même si j'en avais... Il n'y a plus que le ski qui compte, pour elle.

– On dirait... concéda-t-il à regret. Ma foi, je reste ici encore trois ou quatre jours. Peut-être trouverai-je le moyen d'aborder la question et de savoir ce qu'elle en pense.

– Vous voulez dire que vous ne lui avez pas encore parlé de New York? Mais pourquoi?

– Pour ne pas l'effrayer, répondit-il à la grande surprise d'Eve. Elle a dû comprendre que mon intérêt pour elle n'était pas strictement professionnel et si je lui raconte que je veux qu'elle vienne à New York, elle hésitera peut-être à me faire confiance. Elle est très jeune et assez timide.

– Comment cela?

Il jeta un coup d'œil du côté de Marilyn et eut un sourire attendri.

– Eh bien, vous avez vu comment elle a réagi quand j'ai déclaré qu'elle avait une silhouette parfaite de mannequin... elle s'est troublée. Comme chaque fois que je lui dis qu'elle est jolie. Je n'ai jamais vu personne rougir aussi facilement.

Eve regarda sa sœur sans répondre. Le doute qui l'assaillait depuis quelques jours déjà ne faisait que grandir de minute en minute. Robin était arrivé à point pour lui laisser entendre qu'il considérait Marilyn comme une jeune fille innocente et sans expérience. On devait pouvoir se fier à l'instinct d'un homme intelligent dans ce domaine.

Eve comprit tout à coup qu'elle avait peut-être accusé injustement l'homme qu'elle aimait d'avoir séduit une jeune fille de dix-sept ans. Tous les muscles tendus, elle éprouva soudain un désir presque irrésistible d'aller secouer Marilyn pour lui arracher la vérité. Si sa sœur lui avait menti, le mépris que lui avait manifesté Bret n'avait plus rien d'étonnant...

Marilyn était debout maintenant, face à Hank. Eve remarqua qu'il la tenait par le bras comme s'il voulait l'entraîner quelque part. Mais à en juger par l'air de défi de Marilyn elle n'avait pas du tout l'intention de le suivre.

– Ça vous ennuierait beaucoup de me lâcher?

disait-elle les dents serrées. Je ne veux pas danser avec vous, un point c'est tout.

– Diable! Mais qu'est-ce qui vous prend ce soir? répliqua-t-il en se rapprochant d'elle de façon à la coincer contre le mur. Vous me snobez depuis que je suis arrivé et ça ne me plaît pas du tout!

– Et moi je me moque de ce qui vous plaît ou non, riposta Marilyn qui essayait de libérer son bras. Rien ne m'oblige à danser avec vous ni même à vous parler, alors laissez-moi tranquille.

– Quel genre de jeu jouez-vous, ma petite? gronda Hank rouge de colère. Vous ne pensez pas que vous allez m'envoyer promener, après toutes les promesses que vous m'avez faites?

– Je ne vous ai jamais rien promis! protesta Marilyn, les yeux fulgurants. Et maintenant je regrette même d'avoir accepté de sortir avec vous. Vous êtes parfaitement déplaisant!

Hank lui prit le cou d'une main et lui maintint le bras derrière le dos de l'autre.

– Pour qui diable vous prenez-vous! Vous venez vous frotter à moi, soir après soir, pour tout à coup me tourner le dos? Vous ne vous en sortirez pas comme ça, je vous le garantis.

– Et qu'avez-vous l'intention de faire au juste? De toute façon vous êtes trop ivre pour être capable de beaucoup de choses.

– C'est ce que vous croyez.

En même temps qu'Eve, Robin se décida soudain à agir. Mais il n'était pas encore debout que Marilyn s'était déjà sortie d'affaire toute seule en repoussant Hank de toutes ses forces avec sa main libre. Il trébucha contre un fauteuil et Marilyn, enchantée, l'accabla de son mépris :

– Et maintenant, vous pouvez disparaître. Personne ne vous regrettera!

Ils étaient devenus le point de mire de tous et Eve ne put réprimer un sourire lorsque Hank sortit en pestant. Son image de marque venait d'être singulièrement ébranlée, mais personne ne méritait plus que lui d'être ainsi publiquement humilié.

Elle croisa le regard de sa sœur qui lui adressa un sourire vraiment affectueux, le premier depuis son arrivée à Vail. Marilyn fendit le groupe qui l'entourait pour venir à elle.

— C'était pour toi, dit-elle doucement à Eve en l'embrassant. Je voulais qu'il paye, en quelque sorte, pour quatre ans et l'occasion était trop belle. Je regrette seulement de n'avoir pas pu faire mieux.

— Oh! Marilyn, tu sais que tu es complètement folle? murmura Eve d'une voix étranglée, les larmes aux yeux. On ne peut jamais deviner ce que tu vas inventer dans la minute qui suit.

— C'est ce qui me rend si intéressante, plaisanta-t-elle en s'éloignant toute virevoltante vers Robin qui l'appelait.

Quelques minutes plus tard, alors qu'on proclamait la venue de la nouvelle année, et qu'Eve se levait de son siège, Bret apparut sur le seuil de la porte, à l'autre bout de la pièce. Elle soutint son regard aussi longtemps qu'elle le put puis baissa les yeux. Quand elle se força à les relever, quelques secondes plus tard, il n'était plus là... Et elle ne lui avait même pas dit au revoir...

10

Le lendemain matin, Eve resta au lit plus tard qu'à l'accoutumée; pourtant elle ne dormait pas. Elle n'avait tout simplement pas le courage de se lever, d'affronter une nouvelle journée. Elle ne s'était endormie qu'à l'aube et maintenant elle regardait le plafond avec des yeux rouges de fatigue. Elle poussa un soupir de lassitude et enfouit sa joue dans l'oreiller. Elle avait passé la nuit à se demander si elle devait obliger Marilyn à lui dire la vérité. Mais à quoi bon? La vérité ne changerait plus rien maintenant. Si Marilyn avait menti, Bret aurait dû la contraindre à l'avouer à Eve. Par conséquent, ou bien Marilyn avait dit vrai, ou bien il était parfaitement indifférent à Bret qu'elle lui ait menti. Ces deux éventualités étaient aussi déprimantes l'une que l'autre.

— Qu'est-ce qui m'a pris de venir ici? marmonna Eve pour elle-même.

Quand sa mère entra quelques minutes plus tard, elle la trouva couchée sur le ventre, l'oreiller sur la tête.

— Tu viens voir courir ta sœur avec nous cet après-midi?

Sans la regarder, Eve secoua la tête.

— Mon genou devient tout raide si je reste trop longtemps dehors dans le froid.

— Ma foi, c'est une excuse aussi bonne qu'une autre pour éviter de rencontrer Bret, déclara Mme Martin, toujours fine et perspicace.

Elle sortit aussitôt, sans laisser le temps à sa fille de riposter.

Dans l'après-midi, Eve se séchait les cheveux quand sa sœur entra et, sans un mot, se laissa tomber sur le lit pour enlever ses chaussures de ski.

— Je ne t'attendais pas si tôt, dit Eve. Je pensais que tu resterais là-bas pour célébrer ta victoire.

— Il n'y a rien à célébrer, marmonna Marilyn tristement. Il se trouve que je n'ai pas gagné.

— Oh! excuse-moi, s'écria Eve en se retournant vers elle, sa brosse à la main. Ça ne fait rien. Cela arrive à tout le monde de perdre un jour ou l'autre. On se rattrape la fois suivante.

Ecœurée, Marilyn fit la moue.

— J'ai horreur d'être battue, surtout par quelqu'un que j'avais déjà vaincu. Lisa avait la chance pour elle aujourd'hui.

– Tu ne peux quand même pas espérer gagner toujours. Où serait le plaisir sans la compétition?

– Mais à quoi servent toutes ces heures d'entraînement, si ce n'est pas pour remporter la victoire?

– Je suis sûre que Lisa ne s'entraîne pas moins que toi.

– Alors pourquoi tout ça? demanda Marilyn d'un air morose. Je veux dire, c'est ridicule, non? On s'épuise toutes à s'exercer à longueur de journée mais en fin de compte, il n'y a jamais qu'une seule gagnante.

– Tu penses maintenant que ça ne mérite pas tant d'efforts?

– Cette semaine, en tout cas, j'ai perdu mon temps, murmura-t-elle, irritée. Toutes ces heures après l'école pendant lesquelles j'aurais pu faire ce dont j'avais envie...

– Mais je croyais que c'était le ski dont tu avais envie?

– Je commence à me le demander, reconnut Marilyn en s'allongeant sur son lit avec un soupir. Ça ne m'amuse plus tellement. Tous les jours c'est la même chose... Je m'étais imaginé ça plus excitant...

– Je pense que Bret s'est déjà aperçu que tu avais perdu goût au ski. Comment a-t-il réagi? demanda franchement Eve, guère surprise du revirement de sa sœur.

Marilyn s'étira puis contempla ses ongles.

– Je n'ai pas l'impression qu'il y attache beaucoup d'importance. De toute façon, il abandonne mon entraînement.

– Il abandonne? s'exclama Eve. Mais pourquoi? Vous vous êtes disputés?

– Si on veut, répondit évasivement Marilyn qui changea aussitôt de sujet. A propos, comment trouves-tu Robin? Il est drôlement bien, non? Il a encore pris des photos de moi aujourd'hui. Et tu sais ce qu'il m'a dit après? Que j'avais vraiment des chances comme mannequin! Qu'est-ce que tu en penses? Ce serait formidable si c'était vrai.

— Formidable, répéta distraitement Eve qui se tripotait les cheveux en se demandant pourquoi Bret avait renoncé à entraîner Marilyn.

Mais sa sœur poursuivait son bavardage :

— Tu sais, Robin m'a même suggéré de venir à New York après mes examens, pour faire le tour des agences. Il est convaincu qu'on m'embauchera. Il est prêt à m'aider de toutes les façons pour que je ne me sente pas trop perdue là-bas. C'est vraiment gentil, non?

Marilyn, pas le moins du monde découragée par le manque de réaction de sa sœur, se redressa sur ses coudes et, regardant rêveusement par la fenêtre, continua :

— Tu te rends compte! Une simple fille comme moi réussir comme mannequin à New York! Oh là là! Imagine ça! Je peux même devenir célèbre et...

Eve l'écoutait à peine, obsédée par le fait que Bret avait renoncé à entraîner Marilyn. Maintenant elle doutait vraiment de tout ce que lui avait raconté sa sœur. De la part de Bret, si ses relations avec Marilyn étaient celles qu'elle lui avait décrites, c'était incompréhensible. Mais, plus étrange encore, comment expliquer que Marilyn n'en soit pas plus affectée?

Eve observa sa sœur plus attentivement. Elle avait bien l'air de ce qu'elle était : une adolescente en train de mûrir et qui se cherchait encore. Eve eut tout à coup la conviction que la jeune fille qu'elle voyait là n'avait jamais eu d'amant.

— Marilyn, dit-elle brusquement. Je vais te poser une question et tu vas me répondre honnêtement. D'accord?

Marilyn sauta du lit aussitôt.

– Ça ne peut pas attendre? Il faut absolument que je prenne une douche.

– Non! Ça ne peut pas attendre, répliqua Eve fermement. Assieds-toi et écoute-moi.

– Mais, je...

– M'as-tu vraiment dit la vérité à propos de toi et de Bret, ou est-ce que tu as inventé tout ça parce que tu savais que j'avais un faible pour lui? Réponds-moi franchement.

– J'entends maman qui m'appelle! s'écria Marilyn en se précipitant vers la porte. Je vais voir ce qu'elle veut.

– Marilyn! reviens!

Mais sa sœur descendait déjà l'escalier quatre à quatre. Eve soupira et, exaspérée, se mit à marcher de long en large en tortillant nerveusement le bout de sa ceinture. L'attitude de Marilyn était un aveu en soi. Mais Eve était beaucoup trop furieuse contre elle pour la laisser s'en tirer aussi facilement. Seule une confession totale compenserait un peu le mal qu'elle avait fait.

Avec un regard où brillait la vengeance, les dents serrées, elle se précipita dehors mais fut arrêtée dans son élan par sa mère et sa sœur qui remontaient l'escalier.

– Il me semble que le moment est venu de tenir un petit conseil de famille, déclara Mme Martin en poussant Marilyn vers la chambre. Ta sœur a quelque chose de très important à te dire, Eve. N'est-ce pas Marilyn?

Elles s'installèrent toutes les trois et Eve, assise devant la coiffeuse, regarda sa sœur qui fixait obstinément le plancher.

– Alors, Marilyn, nous t'écoutons, dit Mme Martin.

– Oh! Eve, je t'ai menti. A propos de tout, lança-t-elle enfin, les joues en feu. Tout a commencé quand j'ai rencontré Bret, ici, pendant un week-end, et...

Marilyn avoua que Bret ne l'avait jamais encouragée et que c'était elle qui avait inventé de toutes pièces son aventure amoureuse avec lui. Eve avait bien du mal à contenir sa colère. En apprenant que Bret s'était déclaré écœuré par le comportement des deux sœurs, aussi bien de l'une que de l'autre, elle eut envie de disparaître sous terre ou, tout au moins, d'y précipiter sa sœur. Le coup final lui fut donné quand Marilyn lui révéla que le matin où elle les avait surpris ensemble Bret ne l'avait suivie que pour lui faire reconnaître qu'elle avait menti. Quant à Eve, elle ne l'avait pas laissé s'expliquer!

Comprenant maintenant qu'elle s'était conduite en idiote hystérique, Eve crut mourir de honte.

— J'ai vraiment envie de te tuer, Marilyn! s'écria-t-elle, incapable de contenir sa colère quand la confession fut terminée. Il est bien temps d'avouer maintenant! Pourquoi ne m'as-tu rien dit plus tôt?

— Parce que j'avais trop honte...

Elle éclata brusquement en sanglots et se traîna jusqu'à la porte. Avant de sortir, elle hésita et murmura, désespérée.

— Excuse-moi, Eve. Je suis vraiment désolée...

Incapable d'une réponse courtoise, Eve lui tourna le dos. Toute sa tension se relâcha brusquement et elle se sentit comme vidée, presque sans vie.

A cause de la jalousie de Marilyn et de sa propre naïveté, elle avait perdu le seul homme qu'elle aimerait probablement jamais. Quel abominable gâchis! Tout paraissait désespéré maintenant... Elle poussa un profond soupir et enfouit son visage dans ses mains.

— Voilà qui ne sert à rien, ni à toi ni à qui que ce soit d'autre, intervint tout à coup Suzan Martin. Si tu t'habillais plutôt et allais t'excuser auprès de Bret?

Eve sursauta.

— Mais c'est impossible! Pas maintenant! Il me

considère comme une imbécile, et je commence à croire qu'il a raison!

– Ne sois pas ridicule. Tu ne penses tout de même pas retourner à Denver sans rien dire?

– Mais tu n'as pas compris? Il en a par-dessus la tête, et de nous deux! Il est trop tard maintenant.

– Il n'est jamais trop tard. D'ailleurs il a dit ça sous le coup de la colère. Etant donné le cadeau qu'il t'a fait pour Noël, il a visiblement changé d'avis.

– Tu ne parlerais pas comme ça si tu l'avais entendu hier soir! murmura Eve, désespérée. Je ne vois pas pourquoi il aurait plus envie de me rencontrer que Marilyn qu'il refuse même d'entraîner...

– Il a dû se rendre compte que le ski intéressait moins ta sœur, suggéra sa mère. Allez, habille-toi. Je vais prévenir ton père que nous ne partirons pas avant que tu ne sois revenue de chez Bret.

– Mais je t'ai dit que je n'irais pas, protesta Eve faiblement. Je ne peux vraiment pas. L'idée de me retrouver face à lui m'est insupportable.

– Si tu n'y vas pas, tu le regretteras toute ta vie, lui répondit tendrement Mme Martin. Et tu sais parfaitement bien que j'ai raison, non?

11

Une demi-heure plus tard, toute tremblante, Eve était devant chez Bret. Comment avait-elle pu accepter de venir? Comment des excuses pourraient-elles combler le fossé qui les séparait? Sa mère avait fini par la convaincre qu'elle se mépriserait toujours si elle n'allait même pas jusqu'à essayer.

Malgré tout, le semblant de courage qu'elle lui

avait insufflé s'envola brusquement et, prise de panique, elle faillit retourner en courant vers sa voiture. Etait-elle donc lâche à ce point? Elle se ressaisit et s'obligea à frapper. Elle eut l'impression qu'une éternité s'était écoulée quand elle entendit enfin des pas dans la maison. Bret ouvrit la porte et la regarda avec une expression indéchiffrable. Il lui parut encore plus grand, plus imposant que d'habitude. Peut-être parce qu'elle-même se sentait pour l'instant si petite et si misérable. Elle tenta de sourire.

– Puis-je entrer une minute, demanda-t-elle enfin. Soyez tranquille, je n'en ai pas pour longtemps. Il commence à neiger et mon père va vouloir partir pour Denver avant...

Il s'effaça pour la laisser passer et interrompit ses explications embarrassées.

– Entrez. Donnez-moi votre manteau.

– Oh! ce n'est pas la peine, balbutia-t-elle en évitant son regard. Je peux le garder.

– Comme vous voudrez, répondit-il d'un ton indifférent en lui montrant le chemin du salon.

Eve était si nerveuse qu'elle se mit à boiter, ce qui ne fit qu'augmenter son trouble. Elle voulut retirer son manteau avant de s'asseoir, mais ses mains tremblaient si violemment qu'elle eut beaucoup de mal à défaire les boutons. Elle se laissa tomber sur le canapé, serrant son sac comme un bouclier. Bret s'installa en face, parfaitement à l'aise, ce qui n'était pas fait non plus pour guérir son amour-propre.

– Je... je ne tombe pas trop mal? Vous étiez peut-être en train de travailler?

– Ne vous en faites pas pour ça. De toute façon, j'allais m'interrompre.

Eve hocha la tête. Il était bien séduisant avec son pantalon gris et son pull à col roulé noir et il lui en coûtait de s'interdire de le regarder et de l'admirer. Au lieu de quoi, elle se mit à fixer le plancher avec un sourire crispé.

– Je... je voulais juste vous dire au revoir et vous remercier encore pour la magnifique broche que vous m'avez donnée. Je l'aime vraiment beaucoup.

– Mais vous ne la portez pas.

– Oh! Elle est beaucoup trop belle pour que je la mette avec une vieille robe comme celle-là... Je la garde pour les grandes occasions.

Il eut un léger sourire.

– Peut-être qu'après votre opération vous vous habillerez pour aller danser? Avez-vous pris une décision à ce sujet?

– Je ferai ça un de ces jours...

– Qu'entendez-vous par « un de ces jours »? Vous ne cherchez quand même pas à vous dérober?

Eve leva les yeux, surprise par son expression inquiète.

– Non, il faudra bien en passer par là, encore que je me demande si ce sera très efficace. Jamais plus mon genou ne redeviendra normal.

Bret se pencha brusquement en avant, les coudes sur les genoux.

– Le médecin a dû vous expliquer qu'il deviendra de plus en plus raide et de plus en plus douloureux avec les années si vous ne vous faites pas opérer.

– Ma foi, répondit-elle avec une gaieté forcée, une claudication me conférera peut-être une aura de mystère...

– Au diable la claudication! rétorqua-t-il avec impatience. Mais la douleur? Pourquoi souffrir inutilement! Vous avez mal, en ce moment, n'est-ce pas? Vous n'avez pas cessé d'avoir mal depuis cette chute sur la piste noire...

Sa perspicacité, tout comme son ton véhément, lui fit ouvrir de grands yeux.

– Ça me gêne un peu, avoua-t-elle, mais ça va s'arranger.

– Pas sans opération, affirma-t-il brutalement. Je veux que vous me promettiez de le faire.

Elle faillit le lui promettre, puisque de toute façon

146

il ne saurait jamais si elle avait tenu parole ou non. Mais elle ne put se résoudre à lui mentir, d'autant plus qu'il l'observait avec une grande attention.

– On verra! murmura-t-elle. En tout cas, je vous promets d'y penser.

– Mais, bon sang, Eve, vous...

– Pourquoi avez-vous décidé de ne plus entraîner Marilyn? l'interrompit-elle. Elle vient de me dire que vous l'avez priée de chercher quelqu'un d'autre.

Elle ne voulait plus parler de sa jambe et lui avait posé la première question qui lui était passée par la tête.

– Vous croyez vraiment qu'elle aura besoin d'un entraîneur? Depuis une semaine elle ne pratique presque plus, et, comme elle a perdu cet après-midi, je serais très étonné qu'elle fasse encore longtemps semblant de s'intéresser au ski.

– Vous avez sans doute raison, murmura Eve. Et c'est à cause de ça que vous avez décidé d'abandonner?

– Pas seulement, et vous le savez très bien.

Fascinée par la lueur étrange qui brillait dans ses beaux yeux limpides, elle toussota nerveusement.

– Je suis venue pour ça, en fait... pour vous dire que je sais que Marilyn a menti. Je commençais à m'en douter mais aujourd'hui elle a fini par tout avouer.

Eve avait espéré une réponse, dans un sens ou un autre. Mais Bret continua tout simplement à la regarder, sans bouger. Ce silence et cette immobilité augmentèrent encore son sentiment de culpabilité.

– Je suis désolée, vraiment désolée, murmura-t-elle d'un air suppliant. J'aurais dû vous croire mais... mais Marilyn était si convaincante... Vous ne pouvez pas imaginer à quel point, jusqu'à présent, elle était incapable de mentir. C'est la seule raison qui m'ait fait douter de vous. Que cela vous ait mis en colère, je ne peux pas vous le reprocher. Je regrette profondément tout ce qui est arrivé.

Il laissa son regard errer un instant sur elle, puis plongea ses yeux dans les siens.

– Voilà... C'est tout ce que j'avais à dire... Je vous laisse à votre travail... murmura-t-elle en se levant avec raideur. De toute façon, il faut que je parte... Il neigeait déjà quand je suis arrivée et...

Tout à coup elle ne put plus supporter ce terrifiant silence et ce regard méprisant. La gorge affreusement nouée, elle attrapa vivement son manteau et son sac. Il lui fallait partir au plus vite, sinon elle allait se mettre à pleurer devant lui et se rendre encore plus ridicule.

– Au revoir, Bret, balbutia-t-elle en se précipitant vers la porte.

Mais, dans sa hâte, elle se tordit le genou et se raccrocha à une chaise pour ne pas tomber. Au petit cri qu'elle poussa avant d'avoir retrouvé son équilibre, Bret réagit violemment.

– Attendez! lui ordonna-t-il en s'approchant d'elle et en l'attrapant par les épaules pour l'empêcher de s'enfuir. Une minute, bon Dieu! Vous ne pensez pas que vous allez vous en tirer aussi facilement? J'ai beaucoup de choses à vous dire!

Son ton était particulièrement dur. Elle sortit un mouchoir de son sac pour essuyer les larmes qui commençaient à rouler sur ses joues. Il était si près d'elle qu'elle sentait la chaleur de son corps et respirait le parfum de son eau de toilette. Furieux comme il était, cette proximité lui était presque insupportable.

– Quoi donc? Qu'avez-vous à dire? lança-t-elle. Dites-le et laissez-moi partir! Je vous en prie!

– Certainement pas, murmura-t-il.

Il lui prit des mains son manteau et son sac, les jeta négligemment sur une chaise et la fit pivoter face à lui.

– Vous n'irez nulle part tant que vous ne connaîtrez pas l'exacte vérité. J'ai été beaucoup trop gentil avec vous, Eve. Il est temps que vous appreniez que les hommes ne sont pas toujours patients et tendres. C'est ce que je vais vous enseigner à l'instant même.

— Bret! Non! gémit-elle.

Il venait de baisser la fermeture à glissière de sa robe et, lui dénudant d'abord les épaules, il fit tomber le vêtement à ses pieds. Puis il la souleva dans ses bras. Plus elle se débattait, plus il la serrait contre lui.

— Pourquoi faites-vous ça? Bret, je vous en prie, laissez-moi partir.

Insensible à ses prières, il la porta jusqu'au canapé, et même son regard effrayé et incrédule ne le découragea pas.

Il s'assit près d'elle; le regard sombre et menaçant fixé sur sa poitrine haletante, il se mit à lui caresser doucement le ventre.

La respiration arrêtée dans la gorge, tremblant au contact de sa main sur sa peau nue, Eve sentit de nouveau les larmes lui monter aux yeux.

— Je vous en prie! murmura-t-elle en détournant la tête, tandis que, dans la pâle lumière du salon, il lui effleurait la jambe du doigt.

— Je vous prie de quoi? demanda-t-il tout bas. Je vous prie de me laisser partir, ou je vous prie de m'aimer?

— Laissez-moi partir. S'il vous plaît...

— Ne pleurez pas, Eve, dit-il en essuyant ses larmes avec une surprenante douceur. Essayez de vous détendre, ajouta-t-il en posant sa bouche sur la sienne et en jouant délicatement avec ses lèvres.

Eve sentait sa raison se révolter mais tout son être frémissait sous les caresses.

— Je ne peux pas... Non, je ne peux pas permettre ça...

— Pourquoi donc? Vous avez autant besoin de

moi que moi de vous, Eve! Alors pourquoi ne pouvez-vous pas vous donner à moi?

Elle secoua la tête dans tous les sens pour éviter ses lèvres.

– Parce que... parce que vous ne... m'aimez pas, balbutia-t-elle. Vous ne m'aimez pas et moi je... je...

– Vous, quoi?... Dites-le, Eve, chuchota-t-il tendrement à son oreille. Dites-le. Dites que vous m'aimez. Parce que vous m'aimez, n'est-ce pas?

– Oui! gémit-elle tandis qu'il posait sa bouche entre ses seins. Oui, je vous aime, Bret...

Il releva la tête et lui sourit avec une lueur de triomphe et de tendresse dans le regard.

– Et moi aussi, je vous aime, petite sotte! murmura-t-il la voix altérée. Vous avez vraiment cru que je vous laisserais sortir d'ici et de ma vie? Même si vous étiez rentrée directement à Denver, demain vous m'auriez trouvé sur le seuil de votre porte. Je ne vous aurais jamais laissée partir aussi facilement, Eve. Je tiens trop à vous...

Eve ouvrit de grands yeux et enfonça ses doigts dans ses bras musclés.

– Pourquoi ne pas me l'avoir dit plus tôt? demanda-t-elle, pleurant et souriant à la fois. Oh! Vous auriez dû... Et alors... j'aurais fait n'importe quoi pour vous.

– Auriez-vous été jusqu'à me croire, plutôt que votre sœur?

Honteuse, elle baissa les yeux.

– J'ai été tellement stupide... Pourrez-vous jamais me le pardonner?

– Il y a peut-être un moyen, répondit-il, plaisantant à demi, tout en écartant les bretelles de ses épaules pour caresser d'une main tremblante sa peau satinée. Dites que vous allez m'épouser!

Sans lui laisser le temps de répondre, il s'empara de ses lèvres. Gémissant doucement, elle lui passa les bras autour du cou et se serra passionnément contre ce corps puissant qui l'écrasait sur les coussins moelleux du canapé. Et comme ses caresses se faisaient de plus en plus intimes, elle l'attrapa par les cheveux, impatiente de retrouver ses lèvres.

— Vous me rendez fou! grogna Bret, le regard brûlant de désir. Vous feriez aussi bien de m'épouser, sinon je ne réponds pas de moi. Je serais même capable de vous retenir ici de force.

Eve sourit.

— Vous me garderiez vraiment prisonnière?

— Sans aucun doute, répondit-il doucement. Vous avez peur?

— Je suis terrorisée, murmura-t-elle en s'abandonnant à lui.

Trois jours plus tard ils étaient mariés. Après une courte réception, à la faible lueur du crépuscule, ils retrouvèrent leur maison isolée dans les bois.

La neige commençait à tomber dru quand Bret déchargea dans l'entrée les affaires que les parents d'Eve lui avaient rapportées de Denver.

Après avoir retiré son manteau, il alla allumer un énorme feu dans la cheminée du salon, tandis qu'Eve ouvrait la bouteille de champagne que Marilyn avait glissée dans le panier plein de provisions qu'elle leur avait donné.

— On dirait bien que nous allons avoir une tempête, déclara Bret en souriant à Eve qui lui tendait une coupe. Avec un peu de chance, nous pourrions bien être bloqués par la neige pendant plusieurs jours... (Il la prit par la main, la guida jusqu'au canapé et, lui passant un bras sur les épaules, s'assit à côté d'elle. Elle sourit, gênée, et son cœur se mit à battre follement lorsque Bret lui prit son verre des mains et le posa, avec le sien, sur la table.)

— Vous n'imaginez pas, dit-elle nerveusement, tout ce que Marilyn a trouvé à mettre dans ce panier! Des fruits, du fromage et même un pot de caviar, si cela vous intéresse.

– Vous m'intéressez bien davantage pour le moment, murmura-t-il en promenant ses lèvres sur sa joue. Nous nous occuperons plus tard du cadeau de réconciliation de votre sœur. Beaucoup plus tard.

– Mais Bret, vous n'avez pas faim? demanda-t-elle dans un souffle tandis qu'il lui mordillait doucement l'oreille.

– De vous seulement, murmura-t-il tout en lui dégrafant sa robe et en la lui retirant habilement.

Il posa sa bouche sur la peau nue de son ventre et lui caressa la cuisse. Puis, avec un sourd grognement, il la souleva dans ses bras et l'emporta dans sa chambre.

– Bret! chuchota-t-elle, le visage enfoui au creux de son épaule, je me suis acheté une superbe chemise de nuit de satin ivoire pour ce soir. Laissez-moi au moins la mettre...

– Pour quoi faire? Pour m'obliger à l'enlever?

Après avoir repoussé la couverture du lit, il l'allongea sur les draps frais, s'assit près d'elle et, les yeux mi-clos, contempla un moment sa peau satinée qui miroitait dans la pénombre. Puis il posa la main sur sa poitrine avec une ineffable tendresse.

Elle gémit, parcourue tout entière par une vague d'émotion sensuelle qui la faisait trembler.

– Oh, Bret... soupira-t-elle.

Et elle entrouvrit les lèvres, avide de ses baisers, abandonnée à ces mains qui la caressaient et qui éveillaient en elle un besoin presque douloureux de connaître enfin l'accomplissement de son désir.

– Si tu savais comme je t'aime et comme j'ai envie de toi! chuchota-t-il en se débarrassant vivement de ses vêtements.

Elle voulut éteindre la lampe mais il l'en empêcha.

– Non, laisse allumé. Et n'aie pas peur de moi ni de me toucher.

Sans hésiter, elle se mit à le caresser à son tour,

jouissant du plaisir de sentir sous ses doigts la fermeté de ses muscles, d'entendre sa respiration entrecoupée tandis qu'elle lui passait doucement la main sur le visage et dessinait délicatement le contour de sa bouche. Elle rencontra son regard et n'arriva plus à s'en détacher, laissant Bret lui enlever les derniers vêtements qui les séparaient encore.

– Je commençais à croire que ce moment n'arriverait jamais, dit-il d'une voix rauque. Je n'ai jamais aimé personne comme je t'aime...

– Moi aussi, je t'aime. A la folie, répondit-elle, bouleversée par ses caresses qui se faisaient de plus en plus intimes.

– N'aie pas peur, je ne te ferai aucun mal, chuchota-t-il en l'embrassant avec une passion si persuasive que tout ce qui lui restait d'inhibition s'évanouit. Elle se serra contre lui en murmurant son nom, brûlant d'être plus proche de lui encore et d'éprouver complètement son amour.

– Je t'aime, ne l'oublie pas! dit-il d'une voix légèrement tremblante en soulevant son jeune corps à la rencontre de sa puissance virile.

Le gémissement d'Eve se mua en un soupir de joie et elle se perdit dans une merveilleuse extase.

Bret demeura ensuite sans bouger, la respiration haletante, son regard limpide plongé dans celui d'Eve, et il répondit au sourire d'adoration qu'elle lui adressa par un baiser léger et tendre.

– Tu es extraordinaire! dit-il presque brutalement. Tu sais que tu m'appartiens maintenant, n'est-ce pas Eve? Je ne te laisserai plus partir.

– Mais je ne veux pas partir, murmura-t-elle en l'embrassant dans le cou. Aime-moi, Bret, c'est tout ce que je demande.

– Oh! c'est bien ce que j'ai l'intention de faire, promit-il en lui rendant ses baisers. C'est mon devoir, maintenant.

Doux mais pressant, patient mais exigeant, il lui fit découvrir toutes les émotions que l'amour pouvait éveiller, lui demandant beaucoup mais lui donnant aussi beaucoup en échange. Quand il la sentit totalement abandonnée il la prit avec un emportement tel qu'il ne lui fut plus possible de douter qu'elle était aimée et désirée.

Après quoi elle resta allongée à côté de lui, blottie dans ses bras. La main posée sur sa poitrine, elle percevait les battements de son cœur qui reprenaient un rythme normal. Heureuse et détendue, elle se serra encore plus fort contre lui. Il la saisit par la taille et il eut pour elle un sourire qu'elle ne lui avait encore jamais vu.

– Alors? plaisanta-t-elle. Ai-je réussi à me faire pardonner d'avoir fait confiance à Marilyn plutôt qu'à toi?

Il se mit à rire et hocha la tête.

– Oui, je crois que tu es enfin pardonnée, dit-il en lui embrassant le bout du nez. Heureuse?

– Très... Beaucoup plus heureuse que je n'aurais jamais cru pouvoir l'être...

– Mais seras-tu toujours aussi heureuse en vivant ici avec moi? insista-t-il, soudain étrangement sérieux. Peut-être préférerais-tu habiter ailleurs?

– Bien sûr que non! s'exclama-t-elle, étonnée. J'aime cette maison et je veux y vivre avec toi toujours. D'où a pu te venir une idée pareille?

– Tu avais l'air de tellement détester cet endroit... Je ne voudrais pas que ton existence soit empoisonnée par le souvenir des malheureux événements qui te sont arrivés il y a quatre ans...

– Quels malheureux événements? murmura-t-elle. J'ai bien peur de ne pas savoir de quoi tu parles. Jusqu'à ce que je te rencontre, il ne m'est jamais rien arrivé d'important.

Il lui prit le menton et approcha ses lèvres des siennes.

– Cette parfaite réponse mérite une récompense.

– Oui, c'est bien mon avis, répliqua Eve.

Elle ne put en dire plus et fut réduite au silence par un baiser impérieux et passionné.

43

JEANNE STEPHENS
Par-dessus les moulins

Désespérée, restée seule pour élever
son neveu, Caroline va-t-elle céder
à l'odieux chantage de Jeremy Revell,
le frère de celui qui est responsable de tout?
Qu'il aille au diable! S'il s'imagine
qu'il est irrésistible!

44

DIXIE BROWNING
Oiseau de Paradis

Invitée par Jill à passer des vacances
au Mexique, Hannah s'aperçoit
que sa sœur compte sur elle pour jouer
les bonnes d'enfants, la laissant libre
ainsi de se consacrer tout entière
à séduire Lucian Trent...

31, rue de Tournon, 75006 Paris

diffusion
France et étranger : Flammarion, Paris
Suisse : Office du Livre, Fribourg
diffusion exclusive
Canada : Éditions Flammarion Ltée, Montréal

Achevé d'imprimer sur les presses de l'imprimerie Brodard et Taupin
7, Bd Romain-Rolland, Montrouge. Usine de La Flèche,
le 30 avril 1982. ISBN : 2 - 277 - 80040 - 6
6809-5 Dépôt Légal avril 1982. Imprimé en France